O9-BUD-805

Aprender Esquí en un Fin de Semana

ATOMIC
ATOMIC

Aprender Esquí en un Fin de Semana

KONRAD BARTELSKI y ROBIN NEILLANDS

Fotografías de Matthew Ward

Planeta

OTROS TÍTULOS EN LA MISMA COLECCIÓN

Aprender Golf en un Fin de Semana
Aprender Tenis en un Fin de Semana
Aprender Vela en un Fin de Semana
Aprender Escalada en un Fin de Semana
Aprender Gimnasia en un Fin de Semana
Aprender Natación en un Fin de Semana

Un libro de Dorling Kindersley

en la colección
MANUALES PRÁCTICOS PLANETA
Dirección editorial
Juan Capdevila

Título original
Learn to Ski in a Weekend

Traducción
Marcelo Di Pietro

Córcega, 273-279, 08008 Barcelona (España)
Primera edición: octubre de 1992
ISBN 0-86318-662-9 editor Dorling Kindersley Ltd.,
Londres, edición original
ISBN 84-320-4827-5
Fotocomposición: Víctor Igual, S. L.,
Pujades, 68-72, 08005 Barcelona (España)

CONTENIDO

Introducción 6

PREPARATIVOS PARA EL FIN DE SEMANA 8

Aclimatación 10
Estaciones de esquí 12
Subir la ladera 14
Vestimenta 16
Botas de esquí 18
Esquís y bastones 20
Fijaciones 22
Primeros movimientos 24

CURSILLO DE FIN DE SEMANA 28

Día 1

Preparación 30
Primeros desplazamientos . 34
Caída 36
Levantarse 40
Pasos laterales 42
Cambio de dirección 44
La cuña 48
Schuss 52

Día 2

El giro en cuña 54
Diagonal 60
Coordinación 62
Derrapaje 66
Lectura de la ladera 70
Perfeccionamiento 76

DESPUÉS DEL FIN DE SEMANA 80

Esquís juntos 82
Nieve virgen 86
Lanzarse por la ladera 88
Precaución y seguridad 90

Glosario 92
Índice temático 94
Agradecimientos 96

INTRODUCCIÓN

APRENDER ESQUÍ EN UN FIN DE SEMANA puede parecer un título pretencioso, pero este deporte puede ser mucho más fácil de lo que usted supone. El propósito de este libro es prepararlo para el desafío que supone bajar por una ladera cubierta de nieve, con una serie de fotografías en color práctica y extremadamente clara que usted puede estudiar cómodamente en su hogar. Este libro le servirá para conocer las particularidades de la montaña y los problemas especiales que en ella pueden presentarse; pero también aprenderá a resolverlos o evitarlos con facilidad. Esquiar es un deporte fácil y placentero si se empieza correctamente. No hace falta ser joven ni atlético para disfrutar del placer de bajar por una ladera nevada sobre un par de esquís. Mi abuelo se subió por primera vez a unos esquís a los 65 años, mientras muchos de sus compañeros más jóvenes se volvían locos por mantenerse en pie.

Estudie las diversas secuencias de *Aprender Esquí en un Fin de Semana* en su casa y le resultarán mucho más sencillos sus primeros pasos sobre la nieve. Las técnicas escogidas le brindarán una base sólida para aventurarse suavemente por hermosas laderas y saborear la sensación y la atmósfera de la nieve y las montañas. Abra los ojos y déjese invadir por la belleza del paisaje... mientras disfruta deslizándose sobre unos esquís.

KONRAD BARTELSKI

PREPARATIVOS PARA EL FIN DE SEMANA

Antes de dar los primeros pasos sobre la nieve acostúmbrese al equipo mientras aprende los principios básicos

PUEDEN APRENDERSE las técnicas básicas del esquí en un cursillo de fin de semana si la instrucción es clara y usted tiene deseos de aprender. El esquí es una actividad tanto física como mental, y vale la pena prepararse y comprometerse a dedicar todo el fin de semana exclusivamente al asunto que se lleva entre manos, aprender los rudimentos del esquí.

PRÁCTICA EN CASA
Acostumbrarse a llevar el equipo (pp. 24-27).

ARRASTRE
Coger y soltar la barra de arrastre (pp. 14-15).

Ropa

Elija un fin de semana libre de compromisos sociales y de interrupciones familiares o de amigos. Si es posible, trate de alquilar y acostumbrarse a su equipo antes del fin de semana. Coja los **bastones**, póngase las botas (asegúrese de que le vayan bien) y aprenda a ponerse y sacarse los esquís. Esto le permitirá ahorrar tiempo cuando llegue a la nieve. Acostúmbrese a las botas, es importante que le sean cómodas. Camine por su casa para acostumbrarse al peso extra que lleva en sus piernas. Suba y baje escaleras y pruebe a cargar el peso de su cuerpo sobre los cantos de las botas. Esto le servirá para sentirse más cómodo al moverse con los esquís. No hace falta nieve para nada de esto; cuanto más cómodo se sienta dentro del equipo más sencillo le resultará esquiar cuando se encuentre en las pistas.

Estado físico

El esquí es un deporte, y como en todos los deportes, conviene estar en buena forma física antes de comenzar. Esta preparación debería comenzar unas semanas antes del cursillo, es muy importante acostumbrar los músculos a los movimientos nuevos y tonificar el cuerpo para un cierto esfuerzo físico. Los ejercicios de estiramiento resultan muy útiles, como en cualquier actividad que sirve para fortalecer las piernas.

NOTA: *Las palabras en* ***negrita*** *aparecen explicadas en el glosario de las páginas 92-93.*

COLOCACIÓN DE LAS BOTAS
Botas de entrada trasera o delantera (pp. 18-19).

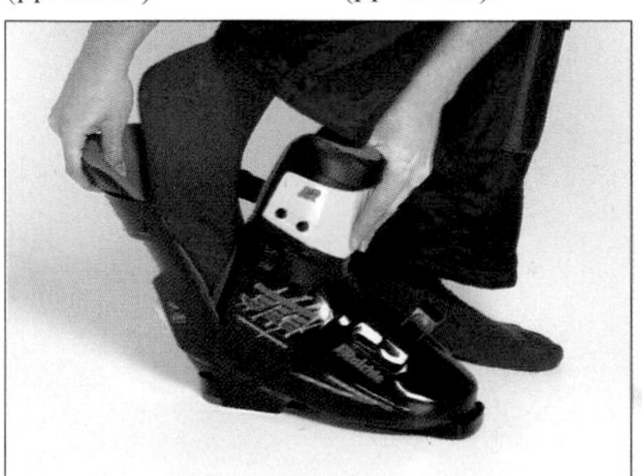

ELECCIÓN DE LOS ESQUÍS
Elección de la altura correcta (pp. 20-21).

ACLIMATACIÓN

Abra sus ojos a un nuevo entorno

UNO DE LOS GRANDES PLACERES del esquí es la contemplación de las montañas. Cuando esté en las pistas, no deje que su deseo de aprender le impida disfrutar del paisaje, el aire fresco, el sol y la belleza de los picos coronados de nieve. Otro consejo práctico es que al llegar a la cima del arrastre y ver cómo se despliegan las montañas a su alrededor, con pistas que se alejan en todas las direcciones, se tome un rato para entrar en calor, estirar los músculos y orientarse.

Asegúrese de haberse puesto suficiente cantidad de crema solar y protector labial, y verifique la posición de las fijaciones y del resto del equipo antes de lanzarse. Decida hacia dónde y cómo ir. Si se siente inseguro, respire profundamente, procure relajarse y recuerde los principios básicos del libro. Sobre estas sencillas técnicas se basa la totalidad del esquí.

Pero sobre todo, no olvide disfrutar. Esquiar y aprender a esquiar debería ser divertido y lo será en tanto se acuerde de pasarlo bien mientras aprende.

ESTACIONES DE ESQUÍ

Cómo orientarse en un nuevo entorno

UNA ESTACIÓN DE ESQUÍ TÍPICA (abajo) y un mapa de pistas (derecha), que ilustra alguna de las señales que encontrará, y parte del equipo que tendrá que utilizar en este entorno tan estimulante. Durante los primeros días, casi no saldrá de las **pistas para principiantes**, que no siempre son las pistas inferiores, de modo que quizá tenga que tomar un telesilla o un telesquí antes de empezar realmente a esquiar. Además necesitará llevar un *forfait*. Antes de adquirirlo compare el precio del *forfait* semanal con el de día.

TELESILLAS
El remonte más habitual es el telesilla con capacidad para 1-4 personas.

PLANO DE LAS PISTAS

Estudie lentamente el plano de la montaña, las pistas (con diferentes colores según sean para principiantes, avanzados o expertos) y los medios de elevación.

LECTURA DEL MAPA DE LA ESTACIÓN DE ESQUÍ

Cada estación dispone de planos de las pistas y los remontes. En Europa, según un orden creciente de dificultad, las pistas son verdes, azules, rojas y negras. En Estados Unidos utilizan uno o dos diamantes negros (ver pp. 90-91). Existen símbolos para los diferentes tipos de remontes. Lleve siempre un mapa para orientarse, escoger la pista acorde a su nivel, localizar la escuela de esquí, las pistas de aprendizaje, el centro de primeros auxilios, los puntos de encuentro y los restaurantes.

FORFAIT

Típico pase para los remontes. Aunque los *forfaits* diarios no la llevan, los semanales requieren una fotografía tipo carnet, de modo que no se olvide de llevarla. Los *forfaits* no son baratos, compre uno por el tiempo necesario.

SIMBOLOGÍA DE LOS MAPAS

Los mapas siempre cuentan con una guía explicativa de los símbolos, que varían según el país, la región y los centros. Consulte la guía antes de leer el mapa.

SUBIR LA LADERA

Cómo coger los arrastres

No se preocupe por los remontes: tanto el telesilla, el teleférico, la góndola como los telearrastres están para ayudarle. Observe, antes y durante la cola, cómo suben los demás. Los arrastres, sean de plato o de doble asiento, le transportan sobre la nieve. Si se le cae un bastón o un guante, déjelo, alguien detrás suyo lo recogerá.

PERCHA DE DOBLE ASIENTO

Coja los bastones con la mano exterior y mire hacia atrás para prever la llegada de la barra. Dos esquiadores de pie, juntos, se giran y colocan la barra bajo las nalgas para luego girarse hacia delante. No se siente.

MIRADA
Mire sobre su hombro y lleve hacia abajo la barra.

ASCENSO
Apóyese hombro contra hombro y evite cruzar sus esquís con los del acompañante.

LÍNEA DE BASE
Mantenga los esquís paralelos y los pies separados. No apoye la bota ni el cuerpo sobre el acompañante. Mantenga las rodillas flexionadas y el cuerpo erguido. No se siente sobre la barra. Déjese llevar.

ASCENSO CON LA PERCHA DE PLATO

EN LA BASE
Algunas perchas pegan un tirón muy fuerte, de modo que al hacer cola preste atención a su funcionamiento.

1. Preparado para coger la percha, colóquela entre las piernas, esquís ligeramente separados y paralelos, bastones bien cojidos en una mano y a un lado. No necesita utilizar las dos manos en ningún arrastre.

2. Avance **deslizándose** hasta la postura correcta, esquís paralelos, bastones en una mano y con la otra coja la percha; colóquela entre las piernas. Mantenga las rodillas flexionadas y prepárase para el tirón que dará el cable. Muchos esquiadores se caen aquí por no estar preparados para el tirón.

SALIDA
No se apresure y apártese con suavidad para evitar que la barra salga disparada.

MIRADA
Observe si hay esquiadores delante.

SALIDA CORRECTA
No se apresure a soltarse. Espere a llegar a la cumbre, cuando haya dejado atrás la pendiente. El segundo esquiador debe esperar que el primero se haya apartado para soltarse del telesquí. Aleje la barra y suéltela. Jamás se cruce en el camino del otro.

COORDINACIÓN
No se suelte mientras sube la pendiente. Espere hasta llegar arriba.

PREPARACIÓN
Comience a prepararse 50 metros antes del fin del arrastre. En el telesquí doble, acuerde quién se soltará primero.

VESTIMENTA

Varias capas de ropa es la clave para mantenerse caliente

CUALQUIERA QUE SEA EL ESTILO de indumentaria que escoja, recuerde llevar varias capas de ropa. El aire que queda atrapado entre ellas aísla contra los elementos. El equipo debe ser de abrigo, resistente al viento y preferiblemente impermeable, de un material no hermético que permita la respiración del cuerpo.

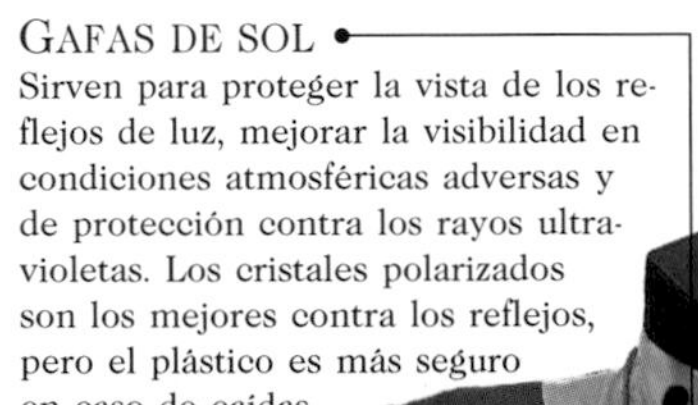

GAFAS DE SOL
Sirven para proteger la vista de los reflejos de luz, mejorar la visibilidad en condiciones atmosféricas adversas y de protección contra los rayos ultravioletas. Los cristales polarizados son los mejores contra los reflejos, pero el plástico es más seguro en caso de caídas.

CREMA DE PROTECCIÓN
Aplíquese regularmente una crema de factor elevado para bloquear los rayos ultravioletas y protector labial para evitar que el viento le reseque los labios.

CINTA
Coloque una cinta de color a las gafas para evitar perderlas.

ANORAK
El anorak debería ser impermeable y resistente al viento, con cremalleras fuertes cubiertas por solapas y cuerdas interiores para mayor aislamiento. Lea las instrucciones del fabricante acerca del material, etc.

GUANTES
Escoja guantes suficientemente grandes para poder mover los dedos, y gruesos para mantener los dedos calientes. Conviene que la zona de las muñecas y palmas estén reforzadas.

GAFAS DE ESQUÍ
Estas gafas ofrecen un área de protección visual mayor contra el frío, la nieve y el sol. Llévelas en la chaqueta cuando no las use para evitar rayarlas o perderlas.

CALCETINES
Con las botas actuales, un par de calcetines es suficiente. Compre calcetines de esquí que abriguen y sean largos, de una mezcla de algodón y fibra.

PANTALONES CON TIRANTES
Asegúrese que le resultan cómodos en los hombros y la entrepierna (con correas ajustables), incluso al agacharse —deben ser de tiro alto en la espalda.

MONO
Los monos son cómodos y elegantes. Quizá abriguen demasiado cuando hace sol, de modo que asegúrese de poder doblar la parte superior y atarse las mangas alrededor de la cintura.

COLORES
Escoja ropa coloreada para aumentar la visibilidad y evitar accidentes.

PRENDAS TÉRMICAS
La ropa interior térmica es esencial. Los juegos de dos piezas son más convenientes que los enteros, muy prácticos de usar con un mono.

PROTECCIÓN DE LAS EXTREMIDADES

Las capas de ropa mantienen el calor, pero no olvide las extremidades como las orejas, los dedos de pies y manos, y muñecas, carentes de capa muscular.

Cinta de lana

Gafas de esquí

Guantes *Manoplas* *Guante interior* *Gorro de lana*

BOTAS DE ESQUÍ

Vínculo vital entre usted y los esquís, las botas le permiten o le impiden esquiar

SIN CONTAR su función técnica de puente entre el hombre y los esquís y de inducir la correcta inclinación del cuerpo, las botas deben ser cómodas. Muchos principiantes han abandonado el esquí por culpa de las botas. No sea impulsivo: escuche los consejos y pruébese muchos pares.

BOTAS DE ENTRADA TRASERA

Este tipo de bota tiene una lengüeta móvil detrás del tobillo que desciende para permitir la entrada del pie y, al cerrar, empuja el pie hacia la posición correcta.

- UNA BOTA CÓMODA -

Asegúrese que los dedos no hagan presión contra la punta de la bota y que el talón no suba. Al ajustar la bota, el talón debe permanecer contra la base, mientras que el tobillo debe conservar el movimiento que le permitirá **inclinarse hacia delante**. La espinilla debe apoyarse contra la lengüeta frontal de la bota y el movimiento del tobillo debe coincidir con el punto de flexión. Los dedos siempre deben conservar un poco de movimiento. Recuerde: una bota que calza bien es una bota cómoda.

Punto de flexión

BOTA INTERIOR • Diseñada para mantener el pie caliente y aislado, debe calzar completamente en la bota. Sirve para evitar la irritación de tobillos y dedos.

• AJUSTE FRONTAL Muchos modelos de botas de entrada trasera disponen de hebillas frontales. La hebilla debe ajustar adecuadamente la bota sin dañar el pie.

• CIERRE TRASERO Busque un cierre regulable que sujete el pie pero no presione los dedos contra la punta de la bota.

BOTA DE ENTRADA TRASERA

INTERIOR Y EXTERIOR

Toda bota tiene dos elementos básicos: la bota interior acolchada para comodidad y **flexión**, y la bota exterior o de protección, que facilita los movimientos naturales del esquí. Al esquiar el pie se calienta, y entonces hay que regular las hebillas a medida que el relleno interior se asienta y la bota se afloja. Estas botas se regulan ajustando o aflojando la parte interior, que puede realizarse desde fuera por medio de los reguladores del cable interno.

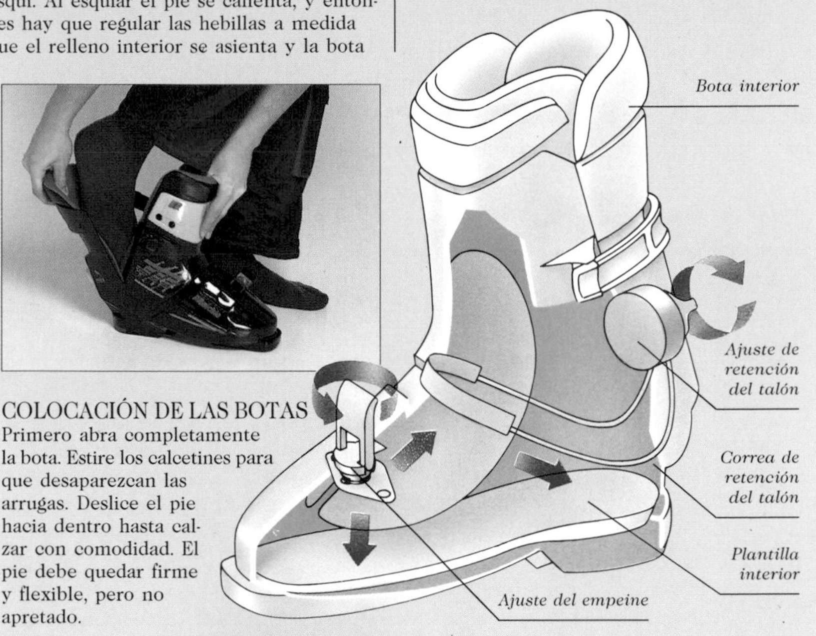

COLOCACIÓN DE LAS BOTAS

Primero abra completamente la bota. Estire los calcetines para que desaparezcan las arrugas. Deslice el pie hacia dentro hasta calzar con comodidad. El pie debe quedar firme y flexible, pero no apretado.

BOTA DE ENTRADA FRONTAL

Estas botas se colocan como si fuesen zapatos normales. Ajústelas durante el día por medio de las hebillas de la carcasa de plástico. Muchos esquiadores dejan flojas las hebillas superiores para poder **inclinarse** más fácilmente hacia delante. Si lo hace, conviene que ajuste fuerte la hebilla del tobillo.

BOTA INTERIOR

Introducir o extraer el pie debería ser una tarea sencilla, sin esfuerzo. De lo contrario pruébese otra bota.

APOYO DEL TALÓN

La bota debe sujetar firmemente el tobillo, asiendo ligeramente el talón a ambos lados del tendón principal.

FLEXIÓN

Incluso con las hebillas ajustadas, los tobillos deben poder adaptarse a la posición de **inclinación hacia delante**.

PUNTERA

La bota se conecta con la fijación por medio de la puntera. Acuda a una tienda especializada cuando los cantos estén muy gastados.

Esquís y bastones

Elección y cuidado de esquís y bastones

Cualquiera que sea la moda, el propósito básico del equipo es que sirva para esquiar. Al comprar o alquilar un equipo, asegúrese de que las **fijaciones** no estén flojas o mal reguladas, los esquís estén en buen estado, los **cantos** no estén dañados, ni las suelas rayadas. Los palos deben tener cestas y correas de seguridad.

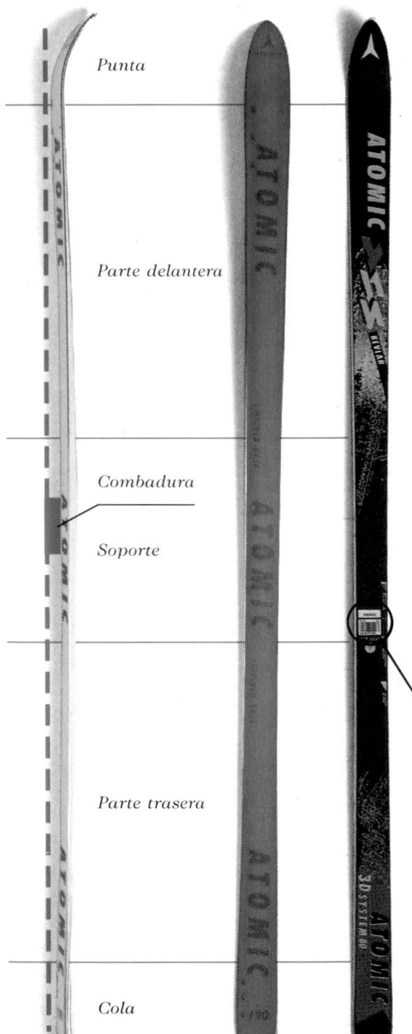

Selección de los esquís

Al comprar o alquilar esquís controle que no estén torcidos o doblados y que la suela sea plana y lisa. El esquí debe ser flexible a la presión pero luego debe volver a su forma original. Aunque el diseño de los esquís no ha sufrido muchos cambios, los materiales sí han cambiado sustancialmente.

PUNTA
La punta tiene una función muy importante en el momento de girar, puesto que se **flexiona** y hace que el esquiador gire.

SOPORTE
Es la parte más estrecha del esquí, donde se asienta la bota. Se arquea o cuenta con una **combadura** para soportar el peso y controlar las diversas fuerzas que se le aplican.

COLA
Sin el esquiador, sólo dos partes del esquí tocarían el suelo: la punta y la **cola**. La cola está ligeramente levantada para reducir la rozadura.

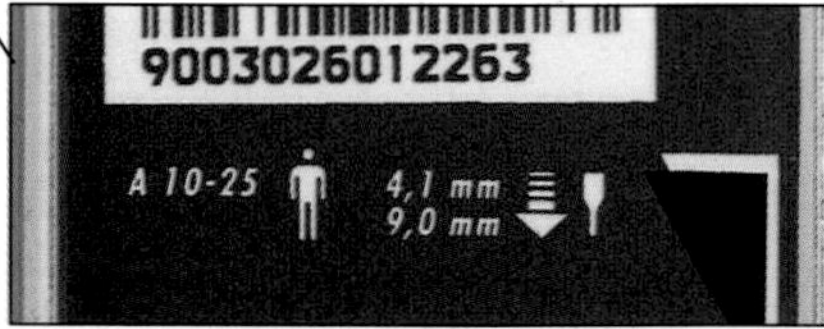

SÍMBOLOS
En el centro del esquí hay grabados símbolos internacionales que sirven para elegir los esquís de acuerdo a la altura, el peso y la experiencia. «L» para principiantes, «A» para avanzados (como puede verse aquí), «S» para expertos. Infórmese en la tienda.

LONGITUD CORRECTA
La propia altura es la mejor herramienta de medición para el largo de los esquís. Algunos principios básicos: la altura de la cabeza para los principiantes, 10-25 cm por encima de la cabeza para los avanzados, 15-35 cm por encima de la cabeza para los expertos. El peso, la forma física y la experiencia inciden en el diseño y la forma del esquí adecuado.

BASTONES
Diseñados tanto para el equilibrio como para girar, los **bastones** deben tener la altura adecuada, que coincide con la altura de los codos, de modo que al cogerlos el ángulo de los codos sea de 90°.

BRAZOS
Observe la posición del brazo, debe ser paralela al suelo, y con el codo en ángulo recto. Esto sólo es posible si el bastón tiene la altura adecuada.

PLATOS DE ENGANCHE

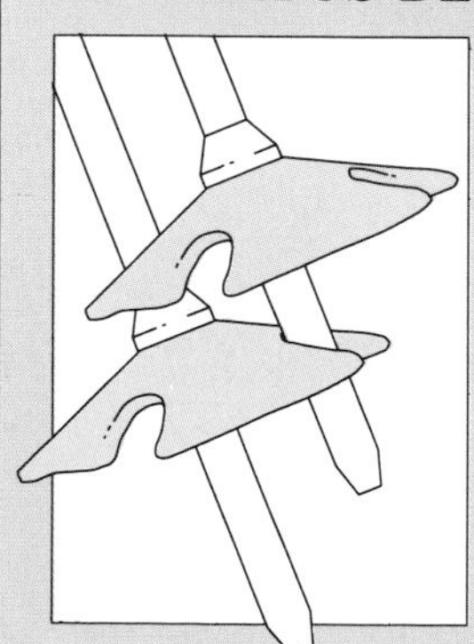

PLATOS
Los platos suelen tener al menos una ranura en la que se puede encajar el eje del bastón para que sea más cómodo transportarlo. Una de sus funciones es evitar que los bastones se pierdan en la nieve. Conviene cambiarlos a menudo.

FIJACIONES

El ancla de todos los movimientos del esquí

LAS FIJACIONES, la parte más sofisticada del equipo, son un mecanismo con doble función: sujetar firmemente la bota al esquí y liberarla cuando existe mucha presión. Si no se ajustan bien, puede que se le salga un esquí cuando no debe o que no salga cuando debe, lo que puede significar un accidente. El ajuste correcto de las fijaciones es esencial y sólo debe realizarlo alguien cualificado.

PIEZA DE SEGURIDAD

La fijación tiene dos partes principales: la fijación de puntera y la fijación de talón. Aunque puede haber variaciones, la puntera cede ante las presiones laterales y el talón ante la presión hacia delante y arriba. Algunas fijaciones tienen un pivote en el talón que las hace girar para liberar la bota.

FIJACIÓN DE TALÓN
Dispone de un indicador de ajuste. Haga controlar el ajuste en una tienda especializada.

FRENOS
Son dos puntas que descienden al desprenderse el esquí y que evitan el deslizamiento de la tabla.

FIJACIÓN DE PUNTERA
Esta fijación es un mecanismo de muelle diseñado para liberar la bota cuando la presión que soporta la pierna alcanza un nivel peligroso. El indicador de ajuste señala la firmeza con que la fijación sujeta la bota y debe regularse en una tienda especializada.

LIBERACIÓN DE LA BOTA
Antes de introducir las botas en las **fijaciones**, fíjese en cómo funciona el mecanismo de liberación. Muchas fijaciones, como las que se enseñan aquí, se desactivan al presionar un pestillo con el **bastón**.

SUJECIÓN Y LIBERACIÓN

BAJO PRESIÓN

Coloque la punta de la bota en la fijación de puntera y luego el talón en la fijación de talón. Ésta funciona con un muelle regulable para que la fijación ceda ante la presión adecuada. Pero la fijación ofrece otra ventaja, permite un grado de elasticidad o juego, sin que se libere la bota, para absorber los movimientos provocados por los baches y otros impactos habituales en el esquí. Una fijación que cede repentina o fácilmente es tan peligrosa como aquella que no cede ante una gran presión. Unas fijaciones buenas, bien conservadas y reguladas, son una pieza vital para esquiar con seguridad. Un mecánico competente es el único que debe colocar y regular las fijaciones.

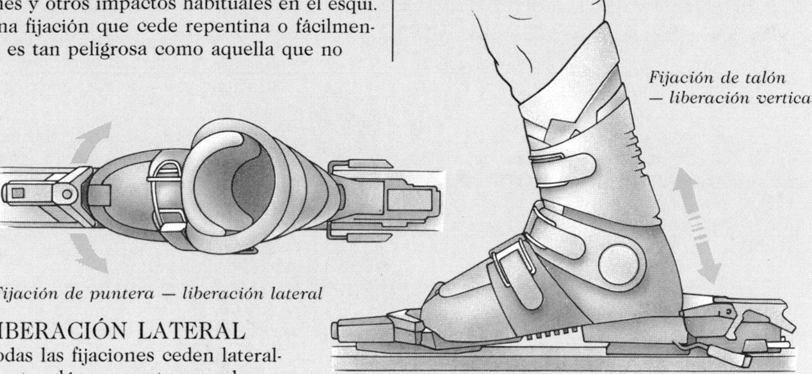

Fijación de talón — liberación vertical

Fijación de puntera — liberación lateral

LIBERACIÓN LATERAL

Todas las fijaciones ceden lateralmente, algunas punteras ceden verticalmente.

MECANISMO DE LIBERACIÓN DEL TALÓN

Las partes más importantes de la fijación de talón son el indicador de ajuste, el tornillo de ajuste y el liberador manual. Controle el mecanismo de los frenos.

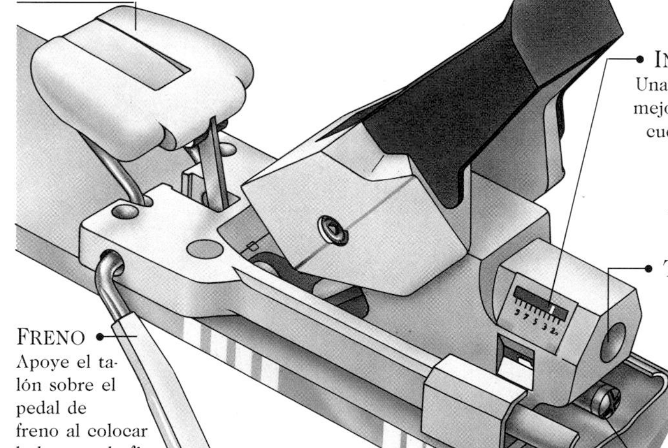

Pedal de freno

LIBERADOR DE FIJACIÓN
Debe aprender a desactivar manualmente la fijación. Esto siempre se realiza en la fijación de talón, habitualmente con la ayuda de un bastón con el que se presiona el pestillo o pisándolo con la bota.

INDICADOR DE AJUSTE
Una escala graduada indica el mejor ajuste para su bota. Recuerde el valor del ajuste, le servirá para regular la fijación en caso que sea necesario.

TORNILLO DE AJUSTE
Sirve para regular el ajuste de la **fijación**, tarea que sólo debe efectuar un técnico especializado.

FRENO
Apoye el talón sobre el pedal de freno al colocar la bota en la **fijación** y los brazos del freno se plegarán.

Tornillo de ajuste de presión

PRIMEROS MOVIMIENTOS

Aprender a moverse naturalmente con el equipo

PUEDE ACELERAR significativamente el proceso de aprendizaje si el fin de semana anterior al cursillo trata de acostumbrarse a moverse con el equipo. Especialmente, intente habituarse a caminar con las botas y los bastones. Esto sirve, además, para acostumbrar los músculos a algunas de las técnicas básicas del esquí.

ADAPTACIÓN A LAS BOTAS

Suba y baje escaleras con las botas puestas a fin de que el cuerpo se adapte al movimiento con ellas y a las limitaciones de su forma y tamaño. Además, puede practicar la técnica de **clavar cantos** y los **pasos laterales**.

CABEZA
La postura correcta es la cabeza erguida y la mirada hacia delante para tener la mayor visibilidad posible. Procure «sentir» la posición antes de mirarla.

TRONCO
Mantenga el tronco relajado y ligeramente inclinado hacia delante, posición correcta para bajar por una ladera.

EQUILIBRIO
Mantenga el equilibrio sobre la articulación del pie. Procure no «sentarse» cuando baje las escaleras.

BRAZOS
Use una barandilla como guía, lleve los brazos hacia delante y ligeramente doblados. Las manos siempre deben estar delante del cuerpo.

PIERNAS
Cargue el peso sobre la pierna trasera que hace de apoyo y mantenga el equilibrio. Con la otra baje un escalón.

RODILLAS/PIES
Flexione la rodilla superior, así la inferior avanza y desciende con los pies ligeramente separados. Tenga cuidado de no caerse.

FRENTE A UN ESPEJO

MEMORIZAR LA SENSACIÓN

Un espejo es muy útil para analizar la postura y la posición. Muchos esquiadores se horrorizan cuando se ven en un espejo, una fotografía o un vídeo, al darse cuenta de la deficiencia de sus posturas. Estudie las técnicas de este manual y practíquelas frente a un espejo.

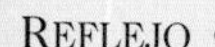

REFLEJO

Use un espejo para que sus posturas adquieran mayor gracia y elegancia.

PASOS LATERALES

Ensaye los **pasos laterales** (ver pp. 42-43) en casa y sin los esquís. No clave los cantos de las botas. A medida que asciende debe trasladar el peso del cuerpo de una bota a la otra.

EJERCICIO CON BASTONES

Para experimentar la sensación de ascender y descender por las laderas, practique con los bastones o sustitutos. Para ascender, mueva el bastón superior y luego la pierna superior, luego la pierna inferior y el bastón inferior. Se trata de una secuencia coordinada de movimientos.

PARTE SUPERIOR DEL CUERPO

Manténgala relajada, ligeramente inclinada hacia delante, cargando el peso sobre las caderas, mirando los escalones y no las botas. Manténgase en equilibrio y **traslade el peso** del cuerpo con decisión y sin balancearlo. Ayúdese con los bastones.

PIES

Los pies deben apoyarse totalmente. No cargue el peso sobre talones, dedos o costados. **Flexione** el tobillo hacia delante contra la caña de la bota.

EJERCICIOS DE PRE-ESQUÍ

Vaya a su jardín o a un parque y, con el equipo y las botas, ensaye las posiciones que aquí se enseñan. Esto sirve para acelerar el aprendizaje cuando se encuentre en la nieve. **Clavar cantos** en la pendiente le obliga a adoptar esta posición para mantenerse erguido.

CABEZA
Mire hacia delante y no hacia abajo. Mantenga la mirada fija en la dirección a seguir.

EQUILIBRIO
Pies y tobillos marcan la **diagonal** correcta.

BRAZOS
Doble ligeramente los brazos hacia un lado. Imagínese que lleva los bastones.

PIES
En **diagonal** la posición de los pies es fundamental. Incline pies y tobillos para **clavar cantos** en la pendiente y poder sostenerse. Cuando lo haga con esquís y nieve lo sentirá tan natural como cuando lo hacía en el césped.

DETENIDO EN UNA PENDIENTE
Aprender a estar de costado en una pendiente le enseñará a regular la posición y **clavar cantos**. Adopte la posición de **coma** (ver pp. 60-61) y utilícela para mantener el equilibrio y la sujeción.

LA SENSACIÓN DE CLAVAR CANTOS

CLAVAR CANTOS

Clavar cantos es una de las técnicas básicas del esquí. Recuerde que los **cantos** le sirven como sostén en la diagonal y funcionan como frenos durante el movimiento. La mayor parte del control recae sobre ellos, y durante la diagonal sirven para mantenerse sobre la ladera y avanzar con seguridad y en la dirección deseada. Los dos factores esenciales para que los cantos cumplan sus funciones son: el ángulo de las botas y los esquís en coordinación con el uso del peso del cuerpo.

Clave los cantos para sujetarse a la pendiente y aumente el ángulo a medida que aumenta la inclinación. Practique moviendo rodillas y tobillos hacia la pendiente, apoyándose sobre el canto de las botas o zapatillas, dejando casi al descubierto las suelas. Para compensar este movimiento vuelque la parte superior del cuerpo en dirección opuesta. Cuanto más pronunciada sea la pendiente, más pronunciado deberá ser este movimiento. Aunque al principio le parezca difícil, esta posición es la más segura. No se incline hacia la ladera.

LA FORMA FÍSICA

FLEXIÓN Y ESTIRAMIENTO

El esquí es un deporte que puede practicarse en diferentes niveles. Si antes de lanzarse a la nieve sigue un entrenamiento básico, se divertirá más, rendirá más y se cansará menos. Hay muchos deportes que, por movilizar los mismos músculos, requerir el mismo tipo de energía o basarse en cierta coordinación de movimientos, resultan muy útiles para esquiar. El esquí demanda flexiones, estiramientos, torsiones y ajustes. Aunque no supone grandes esfuerzos, los músculos de las piernas tienen bastante trabajo, de modo que quienes llegan a la pista totalmente fuera de forma suelen sentir el agotamiento.

COORDINACIÓN Y TRASLADO DEL PESO

El tenis supone la coordinación entre manos, ojos y piernas, además de equilibrio, balanceo y traslado del peso, habilidades que resultan muy útiles para esquiar, junto al ejercicio de una amplia gama de músculos (ver abajo).

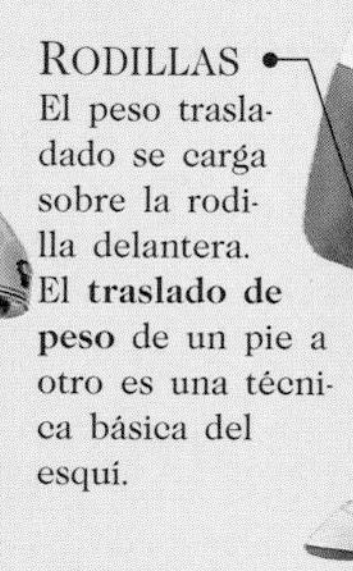

RODILLAS

El peso trasladado se carga sobre la rodilla delantera. El **traslado de peso** de un pie a otro es una técnica básica del esquí.

PRESIÓN DE PEDAL

Pedalear en una bicicleta produce una reacción similar en los músculos de las piernas a la utilizada para el giro del esquí, dado que se pasa la presión de una pierna a otra para iniciar el giro.

EQUILIBRIO

El esquí, como el tenis y el ciclismo, se desarrolla sobre plataformas móviles.

ESTIRAMIENTO DE PIERNAS

El ciclismo ejercita los músculos de la pantorrilla y el muslo, encogiéndolos como en el momento del giro del esquí, o estirándolos al terminar el ciclo de pedaleo como en la bajada por una pista pronunciada —un **schuss**.

CURSILLO DE FIN DE SEMANA

Esquemas y objetivos

BIENVENIDO A NUESTRO CURSILLO DE ESQUÍ de un fin de semana. Practique las 14 técnicas descritas aquí y terminará el fin de semana con un buen conocimiento de los principios básicos e, igual de importante, con la confianza necesaria para seguir avanzando con rapidez a medida que adquiera seguridad. No sólo se describen técnicas sino que se tratan y eliminan los problemas que suelen aparecer al principio, para evitarlos y progresar rápida y agradablemente. Se trata de combinar lo básico con una práctica constante, en tanto que la postura correcta y el equilibrio natural son tan importantes como creer que lo que sentimos que hacemos correctamente sea correcto.

Cambio de dirección (p. 46)

DÍA 1	*Horas*	*Páginas*
TÉCNICA 1 Preparación	1/2	30-33
TÉCNICA 2 Primeros desplazamientos	1/2	34-35
TÉCNICA 3 Caída	1/2	36-39
TÉCNICA 4 Levantarse	1/2	40-41
TÉCNICA 5 Pasos laterales	1/2	42-43
TÉCNICA 6 Dirección	1	44-47
TÉCNICA 7 Cuña	1-1/2	48-51
TÉCNICA 8 Schuss	1	52-53

Cuña (p. 49)

SIMBOLOGÍA

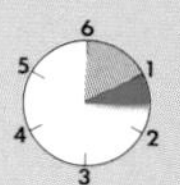

RELOJES
En la primera página de cada técnica un pequeño reloj indica, a través de la sección azul, el tiempo que debería dedicarle y su incidencia en la totalidad del cursillo. Así, la sección azul de la p. 54 recomienda 2 horas para la práctica de la cuña. Sea flexible, los relojes son una guía orientativa. Cada uno debe establecer su propio ritmo de aprendizaje.

NIVEL DE DIFICULTAD •••••
Las técnicas están clasificadas de acuerdo a su nivel de dificultad. Un punto (•) significa que la técnica es bastante sencilla, mientras que las de máxima dificultad se señalan con cinco puntos (•••••).

MINISECUENCIAS
Las minisecuencias ilustran los pasos en los que se compone cada técnica. Los de color azul corresponden al paso ilustrado por la foto.

FLECHAS
Las flechas azules punteadas indican la **línea de descenso**, la dirección más escarpada; la flecha roja señala la acción de **cargar o aligerar el peso**, y la flecha azul indica el movimiento general del cuerpo.

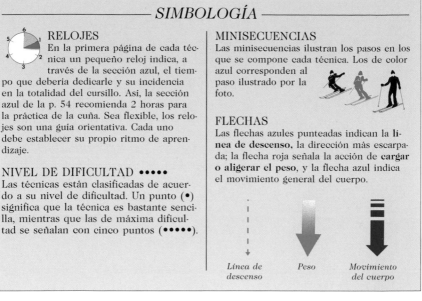

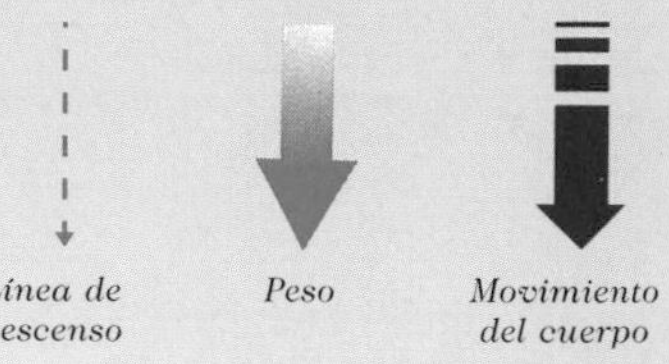

DÍA 2	*Horas*	*Páginas*
TÉCNICA 9 Giro en cuña	2	54-59
TÉCNICA 10 Diagonal	1/2	60-61
TÉCNICA 11 Coordinación	1	62-65
TÉCNICA 12 Derrapaje	1	66-69
TÉCNICA 13 Lectura de la ladera	1	70-75
TÉCNICA 14 Perfeccionamiento	1/2	76-79

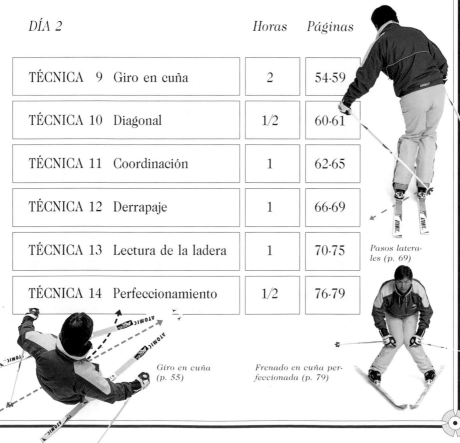

Pasos laterales (p. 69)

Giro en cuña (p. 55)

Frenado en cuña perfeccionada (p. 79)

TÉCNICA

1 PREPARACIÓN

DÍA 1

Definición: *transporte y colocación de los esquís; búsqueda de una postura natural*

ANTES DE COMENZAR A ESQUIAR hay que llegar a la montaña adecuadamente equipado y mentalmente preparado para aprender una nueva serie de técnicas en un medio desconocido y lleno de sorpresas. Tómese tiempo para acostumbrarse a los esquís en una superficie plana. Relájese, no hay de qué preocuparse.

OBJETIVO: Evitar errores prematuros y disponer del tiempo necesario para acostumbrarse a los esquís. *Dificultad* ••

TRANSPORTE DE ESQUÍS

Enganche los esquís y cárguelos sobre el hombro, con las **fijaciones** delante. Las **puntas** deben estar hacia abajo mientras el brazo sujeta las tablas por arriba. Las colas deben permanecer por encima de la cabeza de la gente.

Use los bastones para ayudarse a caminar

ENGANCHE LOS FRENOS DE LOS ESQUÍS

BIEN SUJETOS

Los frenos sirven para evitar que el esquí se deslice libremente después de una caída, o al quitárselo en una pendiente. Úselos también para enganchar y transportar los esquís o tablas.

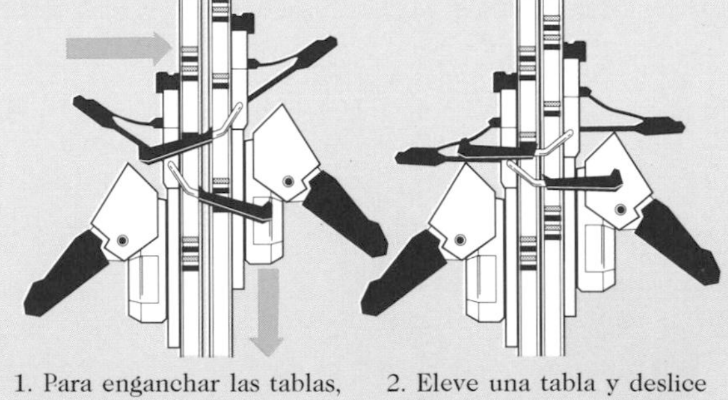

1. Para enganchar las tablas, colóquelas erguidas, paralelas y suela contra suela.

2. Eleve una tabla y deslice el freno sobre la otra, dejándola que baje y se enganche.

COLOCACIÓN DE LOS ESQUÍS

Controle las **fijaciones:** verifique que la talonera esté abierta. Limpie la nieve de la suela de sus botas, preferentemente con los bastones o con la otra bota. Procure hallar una superficie plana para esta operación. Si está en una pendiente, colóquese siempre primero el esquí del valle para poder clavar el canto y afirmarse.

1. Deje el esquí en el suelo y limpie la nieve de su bota con el bastón.

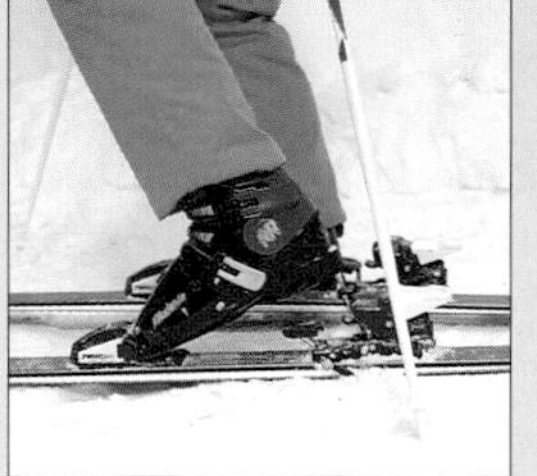

2. Coloque una bota en la fijación y presione hacia abajo para que enganche.

3. Limpie la nieve de la otra bota. Mantenga el equilibrio y colóquese el otro esquí.

PRIMERA POSICIÓN

Aunque no es una postura natural, le debería salir naturalmente al flexionar y acomodar el cuerpo. La **inclinación hacia delante** de la bota y el largo de los **bastones** le ayudarán a encontrarla. Los ejercicios de pre-esquí también son muy útiles para encontrar el equilibrio natural y la distribución del peso sobre los esquís.

CABEZA
Mantenga la cabeza levantada, la mirada al frente y el cuello relajado. No mire las puntas de los esquís.

BRAZOS
Deben estar relajados y por delante de las caderas mientras los codos están ligeramente **flexionados**. Los brazos nunca deben situarse junto o detrás del cuerpo.

TRONCO
Mantenga la columna erguida con las caderas ligeramente echadas hacia delante para cargar el peso del cuerpo sobre las articulaciones de los pies.

PIERNAS
Relaje las piernas y doble las rodillas para que se flexionen sobre la caña frontal de la bota. Flexione los tobillos hacia delante para que la espinilla se asiente sobre la lengüeta de la bota. Los pies deben estar un poco separados mientras soportan el peso «muerto» del cuerpo.

ESQUÍS
Mantenga las tablas en contacto con el suelo y en forma paralela, evitando que se crucen.

TÉCNICA

1

ACOSTUMBRARSE A LOS ESQUÍS

Practique **el traslado** del **peso** del cuerpo de un esquí al otro sin perder el equilibrio y ayudándose con los bastones. Puede que al principio le resulte extraño, pero con un poco de práctica le será muy fácil y pronto aprenderá a moverse teniendo en cuenta la longitud de los esquís.

PIERNA
Levante la pierna hasta doblar bien la rodilla. Debe **flexionar** el tobillo para que la **punta** del esquí se apoye sobre el suelo.

LEVANTAR EL ESQUÍ
Levante el esquí dejando la **punta** apoyada sobre la nieve. Ahora todo su peso se apoya sobre el esquí inferior y debe conservar el equilibrio antes de bajar el esquí suspendido **trasladando** el **peso** hacia él, y levantando el otro esquí de la misma forma.

BASTÓN
Mantenga el equilibrio con la ayuda de los **bastones.**

PUNTAS
Observe que la **punta** del esquí suspendido toca el suelo.

EMPUÑADURA

Empuñar firmemente los **bastones** es una gran ayuda para esquiar. También es importante colocarse bien la correa del bastón. La correa no debe quedar suelta en la muñeca; sirve para que en caso de producirse una caída, el bastón no se deslice libremente por la pendiente, de modo que observe atentamente las siguientes instrucciones.

1. Estire la correa e introduzca la mano por debajo.

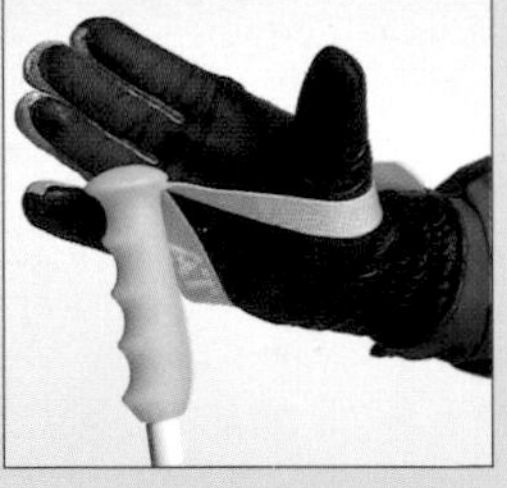

2. Asegúrese que la correa le sujeta la mano por detrás del pulgar.

3. Lleve la mano hacia abajo para que la correa quede tensa.

— CLAVAR CANTOS —

Practique **clavar los cantos** de los esquís como muestra la fotografía. Preste atención a la posición de los bastones y al equilibrio del cuerpo sobre los esquís. Luego cargue el peso sobre el esquí ladeado mientras levanta el otro separándolo del suelo.

COMBADURA
El esquí se arquea mientras el **canto** muerde en la nieve.

PASOS CORTOS

Los pasos cortos tienen dos propósitos: primero, calentar y alargar los músculos para prepararse para esquiar. Además sirve para aprender a **trasladar** el **peso** de un esquí al otro. Observe la imagen de abajo y verá que cuando el peso se apoya sobre el esquí derecho, el izquierdo se mueve libremente delante y atrás. Repita el ejercicio. El peso siempre se apoya sobre el esquí avanzado y el cuerpo debe estar inclinado sobre él durante todo el ejercicio.

BRAZOS
Separe los brazos del cuerpo y mantenga los codos doblados. Parte del peso recae sobre las correas de los **bastones.**

CUERPO
Incline el cuerpo sobre la pierna avanzada. El equilibrio se mantiene con los bastones y cargando el peso sobre el esquí avanzado.

TRASLADO DEL PESO
Practique **trasladar el peso** de una pierna a otra a medida que el esquí se desliza hacia delante y dejando que el esquí libre se mueva. Su postura no varía.

PIERNA
Lleve hacia atrás la pierna hasta estirarla completamente. La pierna delantera permanece flexionada.

Adelante y atrás, trasladando suavemente el peso del cuerpo

ESQUÍS
Clave un poco los cantos para afirmarse en cualquier pendiente.

TÉCNICA

DÍA 1

2 PRIMEROS DESPLAZAMIENTOS

Definición: *Caminar, patinar y deslizarse por un plano*

ES MUY PROBABLE QUE cuando quiera desplazarse sufra la primera caída. Desplazarse requiere práctica, pero es necesario poder caminar y deslizarse con un mínimo de esfuerzo cuando se está acostumbrado a llevar el equipo.

OBJETIVO: Sentirse cómodo sobre los esquís. *Dificultad* •••

CAMINAR

Procure caminar con naturalidad, mueva los brazos en coordinación con las piernas opuestas y deslice el esquí hacia delante sin levantar mucho el pie. No tropiece con los platos de los bastones. Y lo más importante, no trate de avanzar rápido.

• CABEZA
Mantenga la cabeza erguida y la mirada hacia delante. Esté atento a que el movimiento de brazos y piernas sea coordinado.

• BRAZOS
Avance los brazos alternativamente mientras mantiene los codos doblados y **clave** con fuerza el **bastón** para ayudarse. Si estira demasiado el brazo se caerá.

ESQUÍS •
Deben apoyarse sobre la nieve. Debe mantenerlos paralelos y un poco separados para evitar que se entrecrucen las **puntas** o las **colas**.

PIERNAS •
Avance con pasos cortos, rodillas flexionadas y peso distribuido de forma pareja en tanto lo traslada sobre el esquí que avanza. Conviene aflojar las hebillas superiores de las botas para flexionar mejor el tobillo.

— *PARA RECORDAR* —

CONSEJOS

- No mire los esquís.
- Relaje el cuello y los hombros.
- No exagere los movimientos.
- Brazos flexionados y balanceándose rítmicamente.
- Rodillas flexionadas y peso distribuido sobre ambos esquís.
- No dé pasos, deslice los esquís.
- El deslizamiento debe ser rítmico.
- No se apoye sobre el brazo para empujar.

DESLIZAMIENTO

Los esquís están diseñados para deslizarse. El **impulso con los bastones** le permitirá deslizarse por una pendiente. Avance los brazos flexionados y clave conjuntamente ambos bastones mientras carga el peso sobre ellos y se impulsa hacia delante. Deje que los bastones se desplacen hacia atrás para volver a llevarlos hacia delante.

IMPULSO CON LOS BASTONES
Flexione e incline el cuerpo hacia delante para cargar el peso sobre los **bastones** y poder impulsarse sin hacer fuerza con los brazos.

CABEZA
Mirada hacia delante y cuello relajado. No se mire los pies ni la punta de los esquís.

BRAZOS
Al **clavar los bastones** los brazos deben permanecer flexionados. Debe clavar los bastones con una ligera desviación hacia usted. Sólo debe forzar los brazos en el momento de clavar los bastones.

BRAZOS
Mantenga los brazos flexionados, no los extienda completamente aunque los codos deben estar lo bastante rígidos como para soportar el traslado del peso hacia los bastones.

PIERNAS
Flexione las piernas y manténgalas ligeramente separadas (la rodilla debe estar a la altura de la punta de la bota) para distribuir equitativamente el peso.

TÉCNICA

DÍA 1

3 CAÍDA

Definición: *Caerse es parte del proceso de aprendizaje del esquí*

TODOS LOS ESQUIADORES SE CAEN: los principiantes, los campeones olímpicos, los competidores de la Copa del Mundo. No se preocupe. Por regla general no se hará daño al caerse, pero conviene aprender una técnica puesto que caerse y levantarse puede llegar a ser agotador si no se hace correctamente. El control de la caída sirve para levantarse.

OBJETIVO: Aprender la forma más segura y fácil de caerse. *Dificultad* •••••

Paso 3

LUGAR ADECUADO

Déjese caer, pero elija el lugar adecuado. Evite rocas, hielo u otros esquiadores. Siempre conviene caerse hacia atrás.

BRAZOS • Separe los brazos para que no le estorben.

RODILLAS • Relaje piernas y rodillas y déjese caer de espaldas. No debe aterrizar sobre rodillas o codos, ya que podría lesionarse más fácilmente.

Torsión

TRONCO • Gire el tronco para presentar la mayor superficie al caer sobre la nieve. Mantenga los bastones lejos del cuerpo.

PIERNAS • Relaje las piernas y, si puede, mantenga los pies juntos al tocar la nieve.

ESQUÍS • Caiga con los esquís en perpendicular a la línea de descenso. Intente clavar los cantos interiores en la nieve para frenar mejor.

Línea de descenso

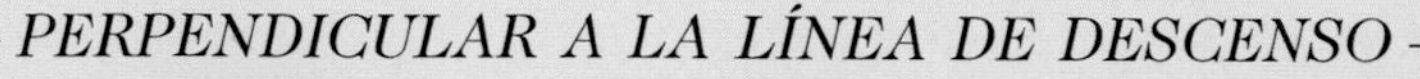

— PERPENDICULAR A LA LÍNEA DE DESCENSO —

EL ÁNGULO RECTO

Dado que la **línea de descenso** es el plano más abrupto de la pendiente, trate de caer en esta posición para evitar que los esquís le deslicen rápida y descontroladamente cuesta abajo.

También procure **clavar los cantos** en ángulo recto ya que sirven de frenos (ver p. 51). Una vez se ha detenido no se apresure a levantarse. Relájese, limpie la nieve que pueda haber en sus gafas y examine esquís, **fijaciones** y **bastones**. Asegúrese de tener los esquís en perpendicular a la **línea de descenso.**

MÚSCULOS DE LA PIERNA

Flexione o recoja de esta forma las piernas para que hagan de muelle al levantarse. Mantenga los esquís en perpendicular a la línea de descenso y clave los cantos del monte o comenzará a deslizarse al levantarse.

Línea de descenso

Paso 4

SENTARSE

Procure, en tanto pueda, que su espalda quede del lado del monte. No se siente sobre las **colas** de los esquís o se deslizará hacia abajo fuera de control. Trate de **deslizarse** mientras cae, no intente sentarse pesada y abruptamente.

BRAZOS
Separe los brazos para mantener los bastones alejados del cuerpo y detener el deslizamiento.

BASTONES
Aleje los bastones del cuerpo. Los necesitará para levantarse, así que es mejor que no queden atrapados debajo de usted.

CUERPO
Apoye el cuerpo sobre espalda y caderas; las rodillas flexionadas y alejadas de la nieve, y las muñecas y los codos alejados del cuerpo. Procure caerse sobre las partes más protegidas del cuerpo.

Línea de descenso

TÉCNICA

3

CAÍDA CONTROLADA

La secuencia de la caída (de derecha a izquierda) demuestra el objetivo de aprender a caer a fin de amortiguar el impacto con las partes más protegidas del cuerpo y quedar en una posición a partir de la cual pueda levantarse con facilidad. Las caídas rápidas suelen ser menos peligrosas que las lentas, pero siempre que pueda escoja el lugar y procure apoyar primero la cadera.

ERRORES COMUNES

FRENAR CON LOS BASTONES

No clave los bastones en la nieve. Puede dañarse las muñecas y provocar una mala caída. Conserve los bastones detrás de usted.

CAER SOBRE LAS MANOS

No caiga sobre las manos, los brazos son más débiles que las piernas. Si cae hacia delante, procure rodar hacia un lado.

PIERNAS
Mantenga las piernas dobladas y las rodillas alejadas de la nieve. Recoja los pies por debajo de los muslos o glúteos. Esta posición sirve para recuperar el equilibrio.

ESQUÍS
Procure colocar los esquís perpendiculares a la línea de descenso y mantener los **cantos clavados** en la nieve. Los cantos son los frenos y esta posición evita el **deslizamiento** de los esquís al levantarse.

RELAJARSE

Al darse cuenta que está a punto de caerse es probable que se asuste, pero intente mantenerse relajado. La nieve es blanda. Mire hacia delante y escoja un lugar. No se resista a la caída pero intente controlar el proceso.

SENTARSE

Comience a virar y a **clavar los cantos** de los esquís, siéntese y desplace las caderas hacia la nieve. Esto reducirá la velocidad y la fuerza del impacto. Mantenga extendidos los bastones y no se siente sobre ellos o sobre los esquís.

BRAZOS

Extienda y estire completamente los brazos para reducir las posibilidades de caerse y aleje los bastones del cuerpo.

CUERPO

Deje que el cuerpo se flexione y doble. Evite estar rígido pero siéntese para acercarse a la nieve.

TORSIÓN DEL CUERPO

Una vez que los esquís están perpendiculares a la línea de descenso, aleje las rodillas de la pendiente, mientras desplaza las caderas y el cuerpo hacia ella. Las rodillas deben estar flexionadas permanentemente.

Línea de descenso

TEMOR A LA CAÍDA

TODOS LOS ESQUIADORES SE CAEN

• Caerse es parte del esquí, no tenga miedo. Procure escoger dónde caer e iniciar el proceso de caída arriba descrito para minimizar el impacto y quedar en una posición cómoda para levantarse.

• Si se le salen los esquís, recupérelos y sacuda la nieve de las fijaciones antes de volver a ponérselos (p. 31).

CONTROL DE LA CAÍDA

• Aunque es más fácil decirlo que hacerlo, procure no caer sobre una roca o hielo, en cualquier otro caso déjese caer. Procure no caer sobre codos, rodillas o muñecas.

• Caiga perpendicular a la línea de descenso, que es la recta más abrupta de la pendiente. Esta posición supone un eje de resistencia de los esquís contra un eventual deslizamiento y una base segura para levantarse.

TÉCNICA

4

LEVANTARSE

DÍA 1

Definición: *Ponerse de pie con el mínimo esfuerzo después de una caída*

YA HA APRENDIDO CÓMO CAER para poder levantarse; ahora tiene que aprender a levantarse y evitar una nueva caída. Recupere fuerza y aliento, sacúdase la nieve y colóquese los esquís si es necesario (ver pp. 31, 37). Relájese y tenga en cuenta la línea de descenso.

OBJETIVO: Ponerse de pie de una forma segura. *Dificultad* ••••

• BRAZOS
Extienda los brazos junto a la cabeza. No haga fuerza sobre el extremo de los **bastones** sino sobre las correas.

Paso 1

POSICIÓN DE LOS BASTONES

El esquiador (izquierda) está sentado con las rodillas flexionadas y los cantos clavados, listo para ponerse de pie. **Clava los bastones** a sus costados, extendiendo los brazos. La fuerza para levantarse la efectúan especialmente las piernas, ya que tienen más fuerza que los brazos.

• ESQUÍS
Recoja los esquís, ligeramente separados, junto a los glúteos y **clave los cantos** en perpendicular a la línea de descenso. Cargue el peso sobre el esquí del valle o inferior.

BASTONES JUNTOS

LEVANTARSE CON LOS BASTONES JUNTOS

En una pendiente abrupta y con mucha nieve, resulta fácil levantarse usando los dos **bastones** como punto de apoyo y los esquís perpendiculares a la **línea de descenso.**

1. Saque las manos de las correas y junte los bastones.
2. **Clave** los **bastones** en la nieve por encima de las piernas, con una mano cerca de los platos y la otra cerca de las correas.
3. Después de enderezar las piernas, empuje hacia abajo con las rodillas y suavemente hacia delante con los bastones. Al levantarse tendrá que equilibrarse con los bastones y apoyarse sobre las piernas, mientras que la posición perpendicular a la línea de descenso le servirá para permanecer quieto.

UNA MANO PARA LEVANTARSE

LEVANTARSE CON AYUDA

Nunca está de más una mano de ayuda para levantarse, en especial cuando hay mucha nieve y es difícil afirmar el pie de apoyo. Asegúrese de que los esquís de ambos estén en ángulo recto con la línea de descenso en caso de hallarse en una pendiente. Incluso en un terreno plano conviene clavar los cantos para evitar deslizarse en el momento de levantarse. Cójase muñeca a muñeca con el esquiador que le ayuda. La fuerza debe efectuarla mayormente con las piernas (manténgalas flexionadas) mientras el esquiador le sirve para hacer equilibrio. Mantenga el cuerpo doblado al levantarse, de lo contrario usted y el otro esquiador se deslizarán y caerán.

Paso 2

EMPUJE

Se levantará haciendo fuerza con las piernas y con los **cantos clavados**. No se deje caer hacia atrás. Empuje hacia delante sobre los bastones, y al quedar erguido su peso estará distribuido sobre los esquís. Recuerde: use las piernas, manténgase en equilibrio y con los cantos de los esquís clavados.

• EMPUÑADURA
Gire las muñecas, las palmas de las manos deben mirar hacia usted, mantenga los codos abajo y las manos a la altura de los hombros.

TÉCNICA

5 PASOS LATERALES

DÍA 1

Definición: *Ascender sin perder la dirección*

LA MEJOR FORMA de subir por una pendiente, que empleará cada día para ascender y descender en perpendicular a la línea de descenso; los **pasos laterales** sirven para subir y encontrar la mejor posición para iniciar el deslizamiento.

OBJETIVO: Ascender y descender por una pendiente con los esquís de forma segura. *Dificultad* ••••

CABEZA
Mire hacia delante o pendiente abajo. No mire hacia el monte. Debe notar la posición de los esquís sin necesidad de mirarlos.

RODILLAS
Mantenga las rodillas ligeramente flexionadas e inclinadas hacia el monte para **clavar cantos.**

TRONCO
Mantenga el tronco ligeramente inclinado hacia delante, cargando ligeramente el peso sobre los **bastones.**

POSICIÓN BÁSICA

Practicar esta posición frente a un espejo o en unas escaleras le resultará de mucho provecho (p. 27). El secreto de los **pasos laterales** radica en el equilibrio y en mantener los **cantos** clavados en perpendicular a la línea de descenso.

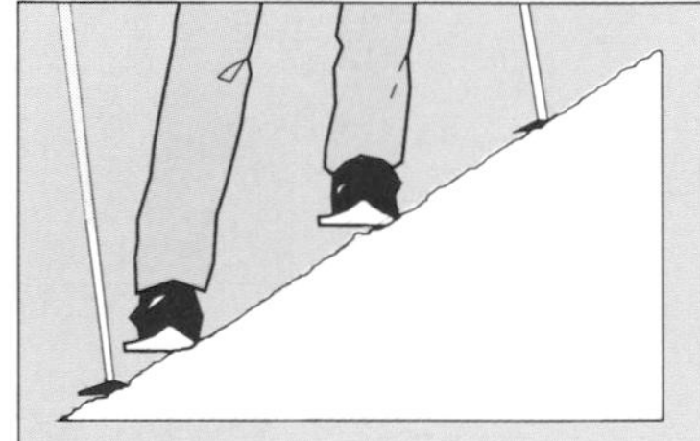

CLAVE LOS CANTOS DE LOS ESQUÍS
Los **cantos** de los esquís sirven para afirmarse. Cuanto más abrupta es la pendiente más necesaria es esta posición.

Pasos 1-3

PASO A PASO

El secreto de aprender los pasos laterales consiste en trasladar coordinadamente el peso de un esquí al otro. Recuerde que los esquís deben permanecer en ángulo recto con la línea de descenso. Mantenga la postura correcta y mueva sólo una extremidad cada vez. Los pasos laterales sirven tanto para ascender como para descender.

BRAZOS
Separe los brazos del cuerpo para mantener el equilibrio y tenga cuidado de no pisar el plato del bastón.

PESO DEL CUERPO
Cuando esté quieto cargue el peso sobre el esquí del valle. Para ascender, primero mueva el esquí del monte y traslade el peso, luego el del valle y cargue sobre éste el peso, para prepararse para el siguiente paso. El proceso inverso sirve para descender.

EQUILIBRIO
No se apresure. Mantenga el equilibrio, traslade suavemente el peso de un esquí al otro y utilice los bastones para conservar la posición.

TRASLADO DEL PESO
Al **trasladar el peso** del esquí del valle al del monte, no pierda el equilibrio. No se incline hacia el monte.

BASTONES
Use los **bastones** para el equilibrio, pero manténgalos alejados de los esquís. No pise los platos.

BRAZOS
Separe los brazos del cuerpo para mantener el equilibrio y evitar pisar los platos.

ESQUÍS
Los esquís deben estar paralelos y en perpendicular a la línea de descenso, de lo contrario se deslizará.

PESO
Ya ha **trasladado el peso** al esquí del monte, ahora está listo para ascender el esquí del valle. Mantenga paralelos los esquís.

TÉCNICA

DÍA 1

6 CAMBIO DE DIRECCIÓN

Definición: *Cambiar a la dirección deseada para poder comenzar a esquiar*

POR REGLA GENERAL, para comenzar a esquiar hay que saber girar o cambiar de dirección en un espacio reducido. El error más habitual: pisar con un esquí la **cola** del otro. Puesto que esto le impedirá moverse, comience con movimientos cortos y controlados girando sobre sí mismo.

OBJETIVO: Aprender a girar correctamente dentro del espacio disponible. *Dificultad* ••••

SUPERFICIE PLANA

Imagínese que los esquís son las manecillas de un reloj.

Paso 1

COMENZAR EL GIRO

Empiece con los esquís juntos, luego levante la parte delantera de uno de ellos y gírelo unos 30 cm, manteniendo la cola sobre la nieve y junto al otro esquí. Ayúdese clavando con firmeza los **bastones.**

Giro estrella en pendientes suaves

DIAGRAMA

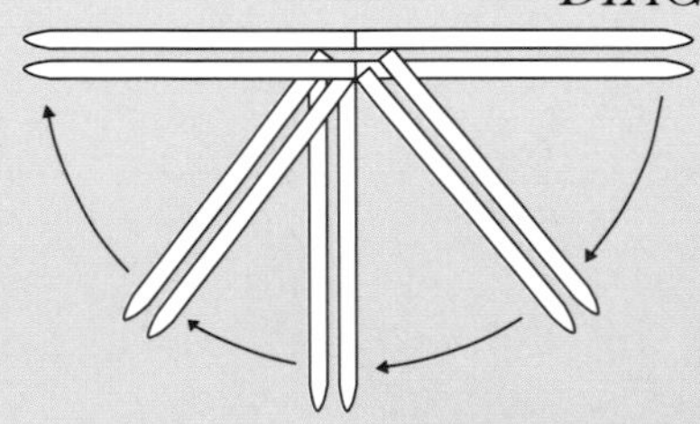

Imagínese que los esquís son como las manecillas de un reloj que giran sobre un punto de apoyo (la cola del esquí). También puede girar sobre las puntas de los esquís realizando los mismos movimientos cortos y controlados y **trasladando el peso.** Practique un **giro estrella** de 180° como el que se enseña aquí y observe las huellas dejadas sobre la nieve.

RODILLA FLEXIONADA
El peso del esquiador se apoya completamente sobre el esquí derecho, la rodilla está ligeramente flexionada para mantener el equilibrio. El bastón derecho también sirve para el equilibrio.

CUERPO
No pierda el equilibrio. **Traslade el peso** sobre el esquí y afírmese sobre él.

ERRORES A EVITAR
Suele ser común pisarse las colas de los esquís y tropezarse con los bastones al efectuar un **giro estrella.**

Paso 2

GIRANDO

Una vez asimilado el principio básico, practique el giro estrella sobre un terreno plano. Puede que necesite **clavar los cantos** al acercar el segundo esquí hacia el primero.

BRAZOS
Extienda los brazos para mantener el equilibrio y no pise las cestas con los esquís.

Paso 3

TERMINAR EL GIRO

Al final de la secuencia, el esquí izquierdo está totalmente **aligerado** del peso y listo para juntarse con el derecho. Levántelo un poco para evitar las irregularidades de la superficie.

PESO
Aligere un esquí. Muévalo un poco y vuelva a trasladarle el peso.

CABEZA
No mire hacia abajo. Debe realizar el giro con naturalidad. No es necesario mirar los esquís, debe sentir los movimientos.

ESQUÍS
Mantenga el peso sobre el esquí derecho para aligerar el izquierdo.

TÉCNICA 6

EN LA PENDIENTE

*Una vez asimilado el **giro estrella**, pruebe girar los esquís hacia **la línea de descenso***

Pasos 1-3

PRIMEROS MOVIMIENTOS

El esquiador se siente seguro y listo para girar. Los esquís están en perpendicular a la **línea de descenso**, mientras que los bastones están clavados en dirección al valle para hacer de apoyo durante el giro y evitar un deslizamiento prematuro. También conviene **clavar los cantos** para afirmarse mejor.

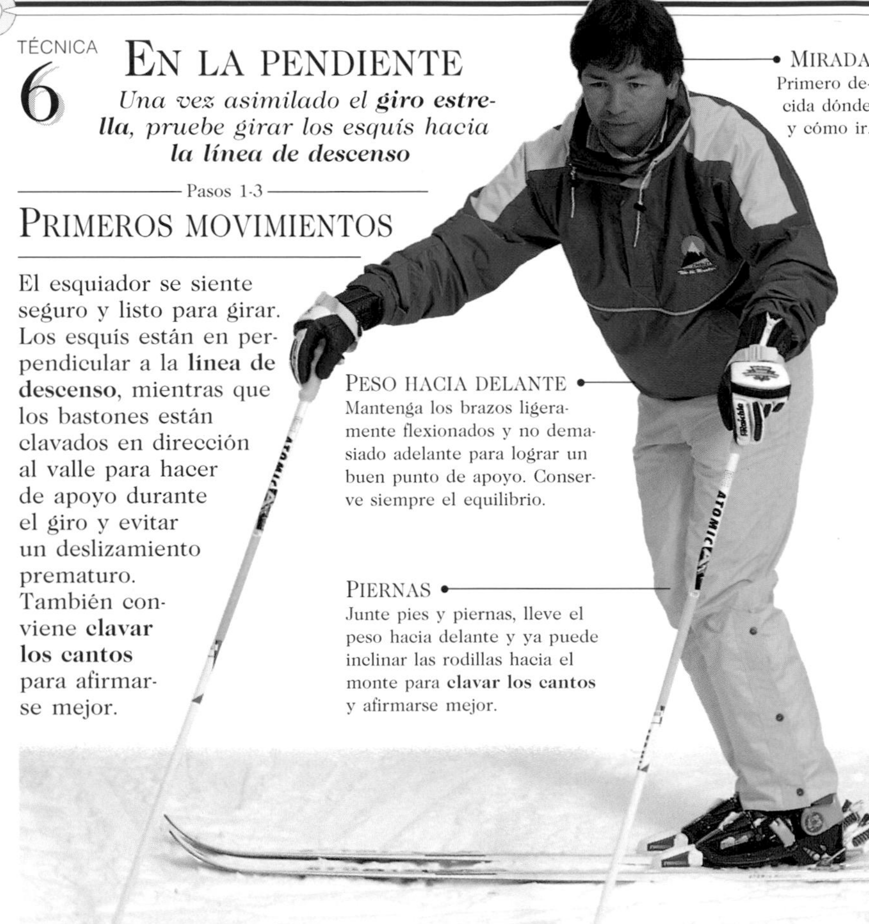

MIRADA
Primero decida dónde y cómo ir.

PESO HACIA DELANTE
Mantenga los brazos ligeramente flexionados y no demasiado adelante para lograr un buen punto de apoyo. Conserve siempre el equilibrio.

PIERNAS
Junte pies y piernas, lleve el peso hacia delante y ya puede inclinar las rodillas hacia el monte para **clavar los cantos** y afirmarse mejor.

COMENZAR A DESCENDER

ATENCIÓN A LOS OBSTÁCULOS

Comenzar a descender no significa solamente dirigir los esquís hacia el valle y dejarse deslizar hasta el final de la pendiente. Antes de comenzar, decida qué va hacer y dónde lo va hacer. Tenga en cuenta los obstáculos de la superficie, procurando evitar los montículos y los sectores de hielo. Esté atento a los otros esquiadores que descienden, puede que sean principiantes y que vayan en su misma dirección.
Los grupos de principiantes suelen desplazarse juntos y son tan inexpertos como usted.

TEMOR A CAER

No tema a la **línea de descenso**. Como comprobará, la línea de descenso es su aliada, le servirá para ir mejorando su técnica a medida que se atreva con pendientes más abruptas y mayores velocidades. Al encontrarse arriba de la pendiente, prepárese para cambiar de dirección en la forma explicada en las páginas anteriores y use los bastones para mantener la posición hasta ponerse de cara a la dirección deseada y estar listo para arrancar. No se preocupe por las caídas, ya ha aprendido a caer correctamente.

PIERNAS
Las piernas deben estar alineadas con el ancho de la cadera, las rodillas flexionadas y los tobillos apoyados contra la caña de la bota.
HOMBROS
Mantenga los hombros rectos a fin de dirigir el cuerpo hacia la dirección deseada.
ALIGERAR
Gran parte del peso recae hacia delante, sobre los **bastones.** No olvide **aligerar** el esquí antes de moverlo y avance con pasos cortos.
ESQUÍS
Clave ligeramente los cantos mientras gira con los bastones en dirección al valle.
Línea de descenso

Paso 4

LISTO PARA DESLIZARSE

Los esquís no están en perpendicular sino paralelos a la **línea de descenso**. Si clava con fuerza los **cantos** y se apoya sobre los **bastones** no se moverá; vaya soltándose gradualmente y comenzará a deslizarse.

EMPUÑADURA
Adopte esta empuñadura para apoyarse mejor y contrarrestar la **gravedad** de la pendiente.

TÉCNICA

DÍA 1

7 LA CUÑA

Definición: *El método más sencillo para disminuir la velocidad, girar o detenerse*

APRENDER A HACER LA CUÑA le servirá para disminuir la velocidad en pistas congeladas o al final de una pendiente, o al subir a un remonte, o en muchas otras situaciones cuando no es posible o apropiado realizar un giro más estético. La única forma de disminuir la velocidad sin cambiar de dirección es por medio de la cuña.

OBJETIVO: Aprender a controlar la velocidad y detenerse. *Dificultad* •••••

Paso 1

POSICIÓN BÁSICA

Relaje el cuerpo con el peso sobre las caderas y ligeramente inclinado hacia delante. No se siente ni incline hacia atrás. Encare de lleno la **línea de descenso** con el peso igualmente distribuido sobre ambos esquís, de modo que a pesar de la forma de "V" y la acción de los **cantos**, se deslizará suavemente y bajo control pendiente abajo.

CANTOS •
Los cantos de los esquís son los frenos. Cuanto más clava los cantos más frena, cuanto más planos mantiene los esquís menos frena y más se desliza. Procure mantener los esquís en forma de una "V", si no se desviará hacia alguno de los costados.

• BRAZOS
Brazos separados del cuerpo y ligeramente adelantados. **Bastones** hacia atrás.

Línea de descenso

Piernas ligeramente combadas

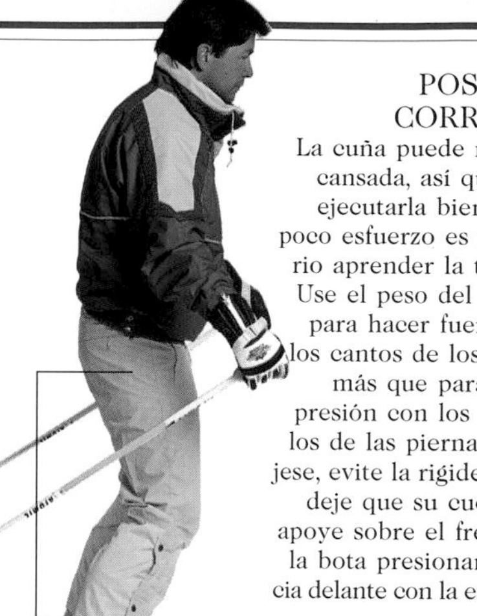

POSTURA CORRECTA
La cuña puede resultar cansada, así que para ejecutarla bien y con poco esfuerzo es necesario aprender la técnica. Use el peso del cuerpo para hacer fuerza con los cantos de los esquís más que para hacer presión con los músculos de las piernas. Relájese, evite la rigidez, pero deje que su cuerpo se apoye sobre el frente de la bota presionando hacia delante con la espinilla.

CONTROL DE CADERA
Lleve las caderas hacia delante, cargando sobre las rodillas, para controlar el peso del cuerpo y alinearlo verticalmente con las botas y los esquís. Evite **flexionar** exageradamente las caderas y procure mantenerse más bien erguido salvo que la pendiente sea muy inclinada. Mantenga recta la espalda y los hombros ligeramente curvos, con los brazos separados del cuerpo y los **bastones** hacia atrás o extendidos a los costados.

Paso 2

FRENADO

Observe la posición de los esquís con relación a la **línea de descenso**. El frenado se controla abriendo o cerrando el ángulo de la "V". Para controlar la velocidad en un pasillo estrecho clave más los **cantos.**

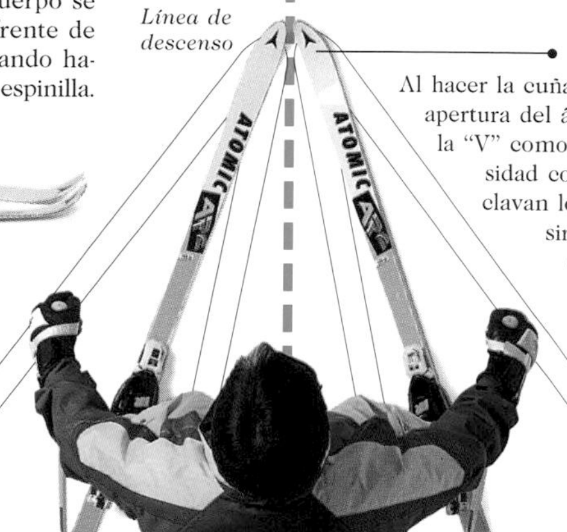

ESQUÍS
Al hacer la cuña tanto la apertura del ángulo de la "V" como la intensidad con que se clavan los cantos sirven para controlar la velocidad.

EL FRENO EN CUÑA

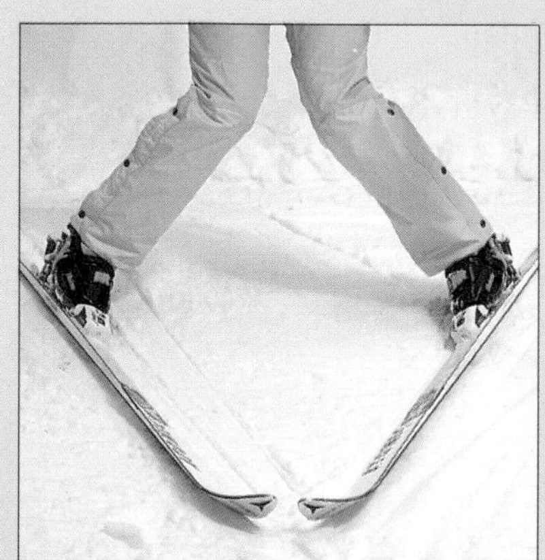

La cuña sirve para controlar la velocidad puesto que produce fricción contra la nieve. Se trata de lograr el mayor control posible con el menor esfuerzo, pero ello depende de la inclinación y el ancho de la pendiente así como del estado de la nieve. Inicie la cuña separando la cola de los esquís y vaya formando una "V" sin clavar los cantos. Gire hacia dentro los pies y empuje hacia fuera con los talones.
No deje que se entrecrucen las **puntas** de los esquís. Si dobla las rodillas clavará los **cantos**. Luego regule la acción de los cantos y el ángulo de la "V".
No doble la espalda, ni se siente hacia atrás.

TÉCNICA 7

ACCIÓN DE DETENERSE EN CUÑA

Parar **en cuña** no es más que una exageración del frenado en cuña. Haga fuerza hacia fuera con los pies hasta detenerse: esto aumenta la acción de frenado de la cuña contra la nieve.

CABEZA
Cabeza erguida, mirada hacia adelante. No mire las puntas de los esquís pero "sienta" que están próximas y en forma de "V".

CUERPO
Para no perder el equilibrio, mantenga las caderas en un centro imaginario formado por una línea que parte del vértice de la "V" de los esquís. No se vaya hacia atrás ni a los lados.

PESO
Use el peso antes que la fuerza muscular. Procure sentir que su cuerpo se asienta sobre los esquís a través de caderas, rodillas y pies.

HOMBROS
Relaje los hombros y déjelos caer un poco. Imagínese que hombros y brazos forman una herradura.

RODILLAS
Lleve las rodillas hacia delante y adentro para clavar los cantos interiores de los esquís.

Línea de descenso

BRAZOS
Doble ligeramente los brazos y apártelos del cuerpo.
CABEZA
Levante la cabeza, relaje el cuello, mire hacia delante. Procure no bajar la vista.
ESQUÍS
Clave los **cantos** interiores de los esquís. Recuerde que a mayor cuña más rapido se detendrá.
CANTOS
Clave los cantos formando una "V" por cuyo vértice pasa la **línea de descenso**. Los cantos proporcionan la resistencia necesaria para frenar totalmente en cuña.

— *LA FORMA EN «V» Y LA LÍNEA DE DESCENSO* —

PESO Y CONTROL

El peso corporal y el equilibrio son mucho más útiles que la fuerza muscular, ya que ésta se agota pronto y dificulta el aprendizaje. Recuerde que la parada **en cuña** supone dos elementos esenciales: la forma en "V" de los esquís con relación a la línea de descenso y la acción de frenado de los cantos. Puede, según las circunstancias, aplicarlos individual o conjuntamente. Utilizados simultáneamente constituyen un método simple pero muy eficaz para frenar o detenerse.

PRÁCTICA Y PERFECCIONAMIENTO

La cuña es la técnica más importante y conviene dedicarle mucha práctica. Proporciona control, y el control de los esquís es la clave para esquiar sin miedo.

CONTROL TOTAL

Abrir y cerrar los esquís y clavar o enderezar los cantos sirve para controlar la velocidad al deslizarse directamente por la **línea de descenso**. El control en las pendientes abruptas supone mucha práctica.

TÉCNICA

8 SCHUSS

DÍA 1

Definición: *"Descenso directo" o esquiar en dirección al valle*

TODOS LOS ESQUIADORES DISFRUTAN bajando directamente por la línea de descenso. Se denomina **schuss** y es una de las posibilidades más placenteras del esquí, pero requiere un control y una técnica mínimos para mantener la posición correcta y gobernar la velocidad.

OBJETIVO: Descender directamente bajo control y con los esquís en forma paralela. *Dificultad* •

HOMBROS
Relájese, no tensione los hombros y déjelos caer ligeramente. Inclínese hacia delante apoyándose sobre las botas.

CUERPO
Inclínese hacia delante con el peso ligeramente cargado sobre la línea de descenso.

BRAZOS
Los brazos hacia delante de modo que pueda verse las manos.

CADERAS
Lleve hacia delante las caderas, sobre las rodillas. No se siente sobre las botas.

ESPINILLAS
Para mantener la inclinación cargue el peso sobre las espinillas y las botas. Las rodillas deben estar sobre las puntas de las botas.

PIES
No se siente sobre los muslos. Cargue el peso sobre los tobillos y, por tanto, sobre la parte delantera de los esquís.

POSICIÓN BÁSICA

El esquiador se desliza por la **línea de descenso**, conservando una posición relajada. Los esquís deben estar paralelos, planos, ligeramente separados y soportando igualmente el **peso**; los brazos abiertos y los bastones hacia atrás. Adopte la postura de **schuss** (izquierda).

Línea de descenso

RELÁJESE
El **schuss** es una técnica sencilla. Deje que los esquís le lleven suavemente mientras usted se inclina hacia delante. Conserve el equilibrio y déjese llevar.

ERRORES COMUNES

EVITE PONERSE TENSO

El mayor error que puede cometer es ponerse tenso. Recuerde estar atento a su entorno. Habrá otros esquiadores y deberá esquivarlos. Asegúrese de poder frenar en cualquier momento y manténgase erguido y atento a la postura. Observe detenidamente estas dos posturas incorrectas puesto que ilustran los errores más habituales. No olvide observar su postura frente a un espejo (p. 25); incluso en un día de sol puede observarse en la sombra que proyecta. Con la práctica la postura se vuelve mecánica.

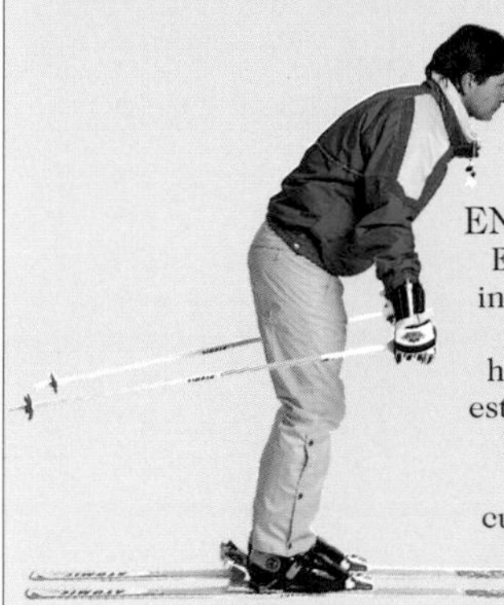

ENCORVADO

El esquiador se inclina incorrectamente. Los hombros deben estar hacia atrás, las rodillas flexionadas y el cuerpo relajado.

Demasiado tenso

DESGARBADO

El peso se carga exageradamente hacia atrás y se pierde equilibrio. Debe llevar los brazos hacia delante y cargar el peso sobre las botas.

Demasiado echado hacia atrás

VISTA DESDE ARRIBA

Visto desde arriba resulta sencillo ver cómo el peso está distribuido sobre ambos esquís y la línea de descenso. Ello permite controlar el peso y girar en cualquier dirección.

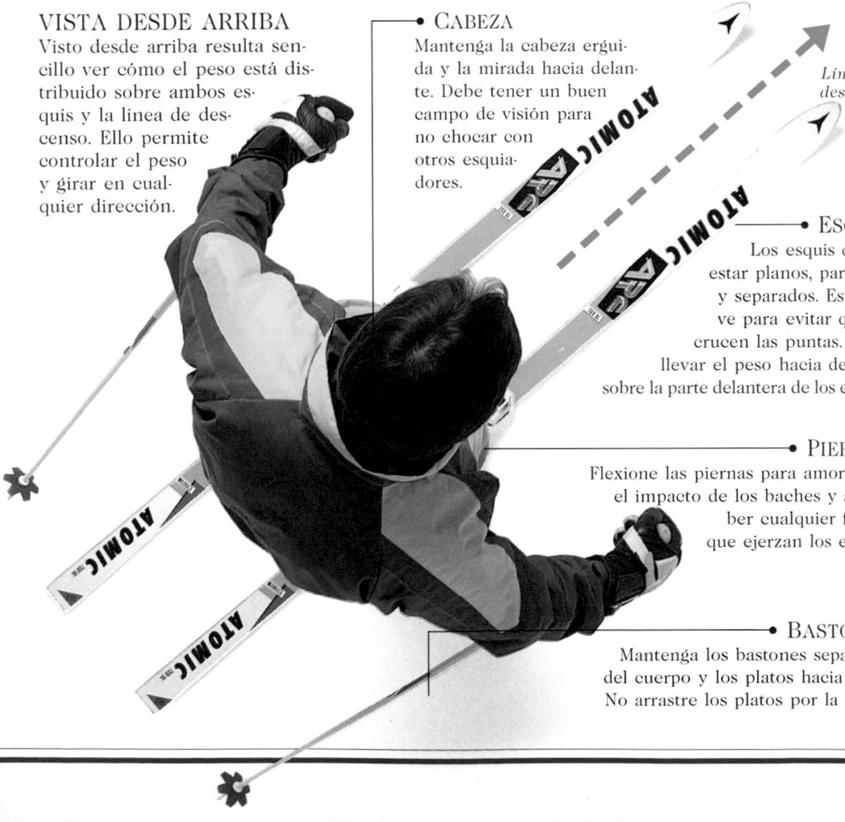

Línea de descenso

CABEZA
Mantenga la cabeza erguida y la mirada hacia delante. Debe tener un buen campo de visión para no chocar con otros esquiadores.

ESQUÍS
Los esquís deben estar planos, paralelos y separados. Esto sirve para evitar que se crucen las puntas. Debe llevar el peso hacia delante, sobre la parte delantera de los esquís.

PIERNAS
Flexione las piernas para amortiguar el impacto de los baches y absorber cualquier fuerza que ejerzan los esquís.

BASTONES
Mantenga los bastones separados del cuerpo y los platos hacia atrás. No arrastre los platos por la nieve.

TÉCNICA

DÍA 2

9 EL GIRO EN CUÑA

Definición: *Cargar y aligerar el peso de los esquís permite cambiar de dirección*

EL GIRO EN CUÑA constituye el giro básico y la base para todos los demás. Siempre le será de utilidad ya que tendrá que aplicarlo en las técnicas nuevas.

OBJETIVO: Girar correctamente a uno y otro lado cruzando la línea de descenso. *Dificultad* ••••

Paso 1

COMIENZO DEL GIRO

El **traslado del peso** es la clave de este giro. Traslade el peso a una pierna y girará en la dirección contraria. Si se apoya sobre la pierna derecha girará hacia la izquierda y viceversa.

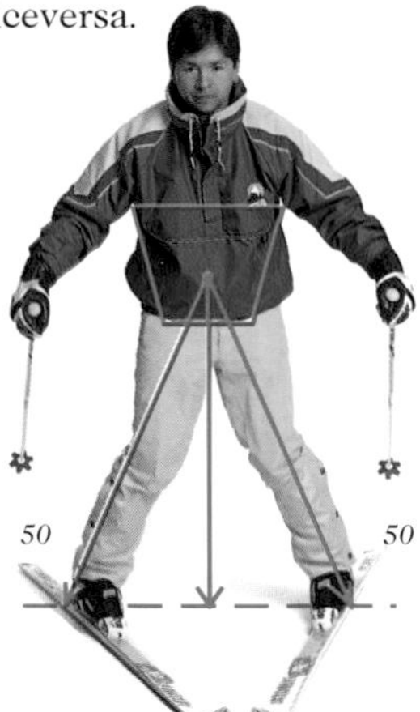

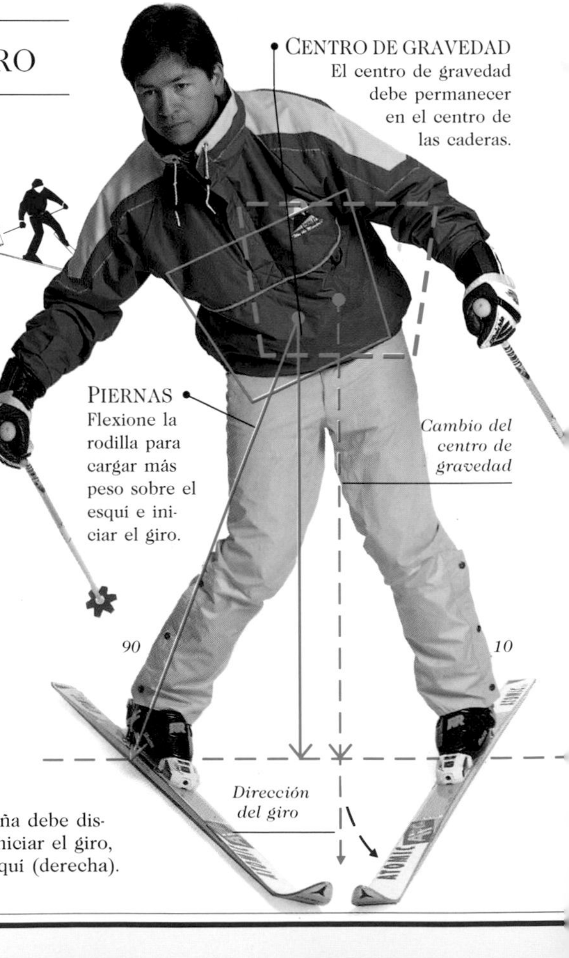

CENTRO DE GRAVEDAD
El centro de gravedad debe permanecer en el centro de las caderas.

PIERNAS
Flexione la rodilla para cargar más peso sobre el esquí e iniciar el giro.

Cambio del centro de gravedad

50 *50*

90 *10*

Dirección del giro

DISTRIBUCIÓN DEL PESO
Para mantenerse en la posición de cuña debe distribuir uniformemente el peso. Para iniciar el giro, traslade el 90 % del peso sobre un esquí (derecha).

Cabeza
Mantenga la vista en la dirección que avanza. No mire los esquís.

Tronco
Mantenga el equilibrio conservando el peso cargado sobre el esquí derecho que le hace girar a la izquierda. No deje caer el cuerpo hacia atrás y manténgase inclinado hacia delante con el peso sobre el esquí de giro.

Brazos
Abra y separe los brazos del cuerpo e imagínese que hace girar una rueda gigante a medida que los esquís atraviesan la **línea de descenso.** Esto le sirve para no perder el equilibrio al iniciar un giro nuevo.

Bastones
Los **bastones** casi no deben usarse. No los arrastre y úselos sólo para mantener el equilibrio.

Paso 2

Traslado del peso

Conserve los esquís en cuña pero reduzca la angulación de los **cantos**. Aumente la velocidad del traslado de peso de un esquí al otro, mientras avanza por la línea de descenso. Los esquís no deben estar paralelos a la línea de descenso.

LAS RODILLAS DIRIGEN EL GIRO

EMPUJANDO CON LAS RODILLAS

Las rodillas juegan un papel muy importante en el esquí, en especial al **clavar los cantos** y dirigir los esquís durante el giro. En el **giro en cuña** debe sentir cómo las rodillas empujan sobre los cantos en la dirección deseada. Como en la mayoría de los movimientos del esquí, debe practicarlo hasta poder hacerlo naturalmente. Analice las ilustraciones de estas páginas para observar cómo las rodillas gobiernan la posición de los cantos y la posición del cuerpo en el giro en cuña. Empuje con las rodillas.

LOS CANTOS DE LOS ESQUÍS

Los cantos son los frenos. Clave el canto de un esquí presionando con la rodilla y hará que dicho esquí gire. Las rodillas controlan los cantos; el esquiador (derecha) ha presionado con la rodilla izquierda, que se coloca por debajo de la derecha, aumentando la presión sobre el canto del esquí izquierdo. Practique y exagere este movimiento con ambos esquís para comprobar los efectos.

TÉCNICA

9

Paso 3

FINALIZAR EL GIRO

PIERNAS
Mantenga flexionada la rodilla de giro, mientras dirige el esquí.

Para detenerse al terminar el giro sólo tiene que mantener la presión sobre el esquí de giro y quedará en ángulo recto con la pendiente. Después de detenerse junte los esquís y prepárese para volver a girar. Para realizar una secuencia continua de giros debe estirar la rodilla flexionada y trasladar el peso al otro esquí, una vez cruzada la **línea de descenso**, a fin de iniciar el giro en la otra dirección.

PESO
Cargue el 80 % del peso sobre el esquí de giro. No use los músculos para hacer presión sobre el esquí.

ESQUÍS
Conserve **la cuña**, le sirve de freno. **Clavando cantos** puede aumentar el frenado.

Giro

Línea de caída

CÓMO MANTENERSE RELAJADO

Puede que el **giro en cuña** parezca sencillo, pero es muy fácil cometer errores. Evite ponerse rígido. Evite hacer fuerza con los músculos sobre los esquís porque se agotará. Evite abrir mucho los esquís porque se le separarán las piernas en exceso. Y sobre todo, no se apresure. Tenga paciencia, ya le saldrá bien.

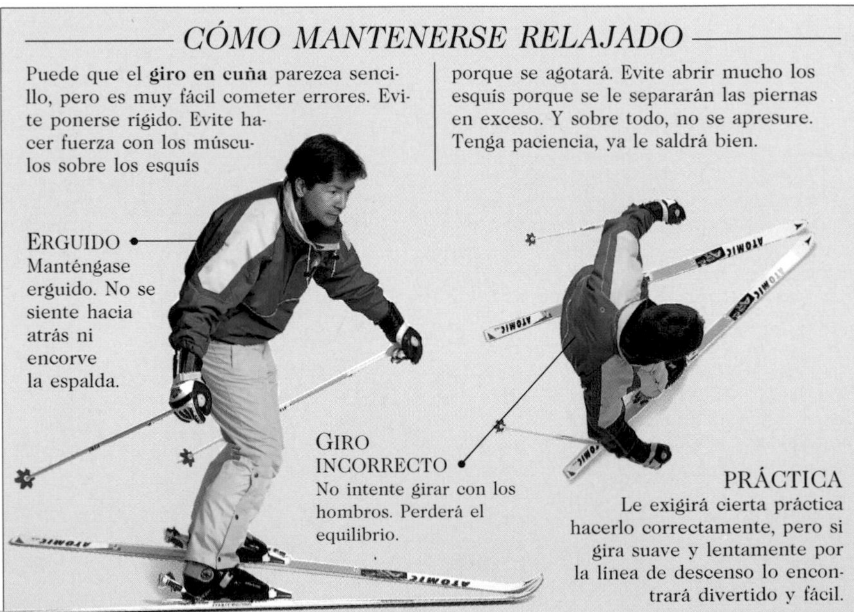

ERGUIDO
Manténgase erguido. No se siente hacia atrás ni encorve la espalda.

GIRO INCORRECTO
No intente girar con los hombros. Perderá el equilibrio.

PRÁCTICA
Le exigirá cierta práctica hacerlo correctamente, pero si gira suave y lentamente por la línea de descenso lo encontrará divertido y fácil.

GIRO A LA IZQUIERDA O LA DERECHA

Practique una serie continua de **giros en cuña**. Observe cómo el esquiador (abajo) comienza los giros volcando el peso sobre un esquí para girar en la dirección contraria, pero las puntas siempre miran hacia el valle, mientras se balancea sobre la **línea de descenso.** Procure hacerlo rítmicamente.

- MOVIMIENTOS SUAVES -

No se apresure al girar. Sea paciente. Aplique la presión y luego espere que el esquí reaccione. El movimiento debe ser suave, incluso el cambio de dirección de giro, y esto sólo es posible si actúa sin prisas pero con firmeza al iniciar el giro. Mantenga la presión hasta terminar el giro.

HOMBROS

Relaje los hombros y evite movimientos bruscos del tronco. Quizá le resulte útil volcar ligeramente el hombro de giro para aumentar el peso y la presión sobre el esquí de giro.

BRAZOS

Separe los brazos. Le servirá imaginarse que tiene un gran volante entre sus manos. Mantenga las manos delante, a la altura de la cintura.

TRONCO

La cabeza y el tronco deben estar de cara a la pendiente. Sólo deben moverse ligeramente para trasladar el peso de un esquí al otro. No balancee los hombros.

PIERNAS

Use la piernas para presionar sobre los esquís. La rodilla flexionada sirve para guiar el esquí de giro.

ESPINILLAS

Presione con las espinillas sobre la caña de la bota, mientras recoge el pie hacia dentro para conservar juntas las puntas de los esquís.

Línea de descenso

TÉCNICA

9

HOMBROS
Vuelque el hombro sobre el esquí de giro para alcanzar la posición correcta y trasladar el peso.
CABEZA
Mire hacia la pendiente, mientras coloca la cabeza por encima del esquí de giro.
BASTONES
Los **bastones** no son necesarios para el **giro en cuña**. Manténgalos apartados del cuerpo y no los arrastre.
Línea de descenso
RODILLAS
Flexione hacia dentro la rodilla de giro para mantener un buen ángulo de **canto** y la **cuña**.
TRASLADO DEL PESO
Comience **trasladando el peso** sobre el esquí derecho, mientras flexiona la rodilla. El peso se vuelca automáticamente sobre el esquí y comienza el giro. Procure usar la fuerza del peso más que la de los músculos.
PIERNAS
Flexione la rodilla y presione con la espinilla sobre la caña de la bota.

CÓMO CONSERVAR LA POSICIÓN DE CUÑA

Coordine el movimiento de botas y esquís para mantener la forma de "V" de **la cuña**. No modifique la posición puesto que el **giro en cuña** se produce por el traslado de peso y aplicando presión sobre el esquí de giro. Observe cómo girar trasladando el peso de un esquí al otro. Mientras está en cuña, **cargue** o **aligere** el peso de un esquí y clave el canto. Obtendrá una serie de giros continuados por la pendiente y perpendiculares a la línea de descenso.

ADVERTENCIAS PARA EL GIRO EN CUÑA

PRACTIQUE ANTE UN ESPEJO

Aunque es un giro sencillo requiere cierta práctica y habilidad. Analice detenidamente la secuencia y reprodúzcala en frente de un espejo. Evite que se crucen **las puntas** de los esquís.

USO DEL PESO

Procure girar usando las rodillas y los pies. No balancee los hombros. No se ponga rígido. Utilice el peso más que la musculatura. Si exagera la función del esquí de giro se cansará mucho antes. Asómese al giro; no se incline ni hacia delante ni hacia atrás. No permita que el hombro del valle gire a través de la pendiente puesto que el peso se trasladaría al esquí equivocado.

Procure iniciar el giro en una posición de cuña correcta. Utilice su propio peso y presione hasta concluir el giro y estar preparado para girar en la dirección contraria.

ATENCIÓN

No se cruce en el camino de otro esquiador. Mire siempre hacia la pendiente. No mire hacia atrás.

COMPLETAR EL GIRO

Quite gradualmente el peso del esquí del valle a medida que cruza la **línea de descenso**, en tanto lleva hacia atrás hombros y caderas para cargar el peso uniformemente sobre ambos esquís.

Codos ligeramente doblados y por delante del cuerpo

PESO

Ahora pase el peso al otro esquí y gire hacia la derecha.

TÉCNICA

10 DIAGONAL

DÍA 2

Definición: *Esquiar a través de la pendiente sin perder altitud*

LA DIAGONAL ES UNA TÉCNICA ESENCIAL y muy placentera que sirve para dominar la velocidad y el control sobre los esquís al bajar por una pista, y la posición relativa a la **línea de descenso**. Efectuando un giro al final de cada diagonal puede descender la pendiente a la velocidad que desee. A mayor inclinación, mayor velocidad. **Clavar** firmemente los cantos permite mantener la altitud, evitar que los esquís **derrapen** y que usted caiga por la pendiente.

OBJETIVO: Esquiar en dirección perpendicular a la pendiente, cualquiera que sea su inclinación, de forma segura y confiada. *Dificultad* •••

PESO
Cargue el 90 % del peso sobre el esquí del valle (inferior). Mantenga el peso hacia delante. No se siente.

CADERAS
Distribuya el peso inclinando las caderas hacia el monte.

RODILLAS
Flexione las rodillas y tuérzalas hacia el monte para aumentar la presión de los **cantos** y controlar velocidad y posición.

POSICIÓN DE COMA

La postura básica de la **diagonal** también recibe, por su forma, el nombre de **coma** (esquiador de la izquierda). Debe mantenerse la vista adelante, **clavando los cantos** en perpendicular a la **línea de descenso** y el tronco ligeramente adelantado para disfrutar de un buen campo de visibilidad.

ESQUÍS
El esquí del monte va ligeramente por delante del esquí del valle.

AYUDA PARA ALCANZAR LA POSICIÓN

PESO SOBRE EL ESQUÍ DEL VALLE

La posición de la **diagonal** puede parecer alarmante: con el peso sobre el esquí del valle puede sentirse a punto de caer por la pendiente. Sin embargo, cuanto mayor peso cargue sobre el esquí del valle mayor será la seguridad y la afirmación. Si carga el peso sobre el esquí del monte, perderá la acción del canto, se inclinará hacia el monte y se caerá.

TIRAR Y ARRASTRAR

Estando en **diagonal** pida a un compañero que le tire hacia abajo por la **línea de descenso**. Para resistir el tirón, aumentado por la gravedad, colóquese en una posición diagonal más extrema, **clavando los cantos** y equilibrando el peso.

A VISTA DE PÁJARO

Analice detenidamente la posición, vista desde arriba, y observe que los esquís están en perpendicular a la **línea de descenso**, en tanto el del monte está más adelantado que el del valle. Esta visión permite evaluar con facilidad el equilibrio del esquiador.

ESQUÍ DEL MONTE

En la diagonal un 10 % del peso descansa sobre el esquí del monte, lo suficiente para el equilibrio. Prepárese para trasladar el peso al iniciar el giro.

Línea de descenso

BRAZOS

Separe los brazos, ligeramente doblados y por delante del cuerpo, para mantener el equilibrio. Levante los bastones de la nieve.

TORSO

Gire el torso para que el hombro del monte esté ligeramente adelantado. Con ello el peso se vuelca hacia delante y le permite mirar por encima de la **línea de descenso**, con el peso sobre el esquí del valle.

ESQUÍS

Haga presión con los cantos del monte para afirmar los esquís. El esquí del monte debe estar adelantado y la presión de los cantos depende de la inclinación de la pendiente.

Esquí del valle o inferior

Esquí del monte o superior

TÉCNICA

11 COORDINACIÓN

DÍA 1

Definición: *Uso de los bastones para acompañar el giro*

USE LOS **BASTONES** PARA AYUDARSE a girar, compensar la falta transitoria de punto de apoyo y mantener el equilibrio. Los bastones resultan valiosísimos al girar. Una vez que haya aprendido la **cuña**, utilice los bastones en el momento de aligerar un esquí.

OBJETIVO: Coordinar el uso de los bastones. *Dificultad* •••

Paso 1

CLAVAR EL BASTÓN

En la **diagonal** use el bastón para **trasladar el peso** al esquí exterior. Le servirá para mantener el equilibrio y podrá girar suavemente. Coja firmemente el bastón y **clávelo** delante, a una distancia cómoda pero no exagerada.

DESDE LA DIAGONAL
El esquiador (derecha) inicia el giro desde la posición de **cuña** cargando el peso sobre el esquí del valle.

RODILLAS
Al **clavar el bastón** tenderá a flexionar las rodillas para comenzar la acción de aligerar el esquí de apoyo. Al flexionar, el bastón se acercará naturalmente a la nieve.

BRAZOS
Clave el bastón con el brazo ligeramente doblado. No estire el brazo ni lo adelante demasiado, pues perdería el equilibrio.

CUERPO
El cuerpo permanece en la posición correcta pero comienza a descender al **clavar el bastón**.

ESQUÍS
Clave cantos y **cargue el peso** sobre el esquí del valle.

GIRO
Pase junto al **bastón** clavado entre la punta del esquí y la bota, dejando que el peso le impulse hacia delante al girar.

Paso 2

ALIGERAR EL ESQUÍ DE APOYO

Aligerar significa reducir la cantidad de presión ejercida sobre los esquís al extender y erguir el cuerpo. Esto sirve para girar suavemente. Aligere los esquís al estirar o extender el cuerpo justo antes del giro, cuando pasa junto al bastón.

PIERNAS Y RODILLAS
Las piernas y las rodillas impulsan los esquís durante el giro. Mantenga las rodillas flexionadas y las espinillas presionando contra las cañas de las botas, liberando la presión al pasar junto al **bastón**.

CABEZA
Mire hacia delante y ligeramente pendiente abajo. No mire hacia los esquís.

CUERPO
Cargue el peso sobre la parte delantera de los esquís.

Paso 3

FIN DEL GIRO

Al concluir el giro recupere la posición previa: rodillas flexionadas, peso hacia delante, cabeza erguida... todo aquello que a esta altura debería salirle mecánicamente.

BASTONES
Los bastones vuelven a la posición normal, fuera de la nieve y preparados para el próximo giro.

PIERNAS
Mantenga las piernas casi rectas, el peso hacia delante y las rodillas a la altura de la punta de las botas.

TÉCNICA 11

CLAVAR EL BASTÓN

Si **clava el bastón** en el momento y el lugar adecuados conseguirá girar suavemente y **trasladar** correctamente el **peso** sobre el esquí de giro. Esta secuencia ilustra el momento y el lugar adecuados para clavar el bastón durante el giro.

TRONCO
No balancee el tronco. Manténgalo quieto.

BASTÓN LIBRE
Mantenga el bastón libre fuera de su camino y el brazo quieto. No cruce el brazo por delante del cuerpo.

RODILLAS
Dirija el giro con la rodilla externa. Empuje hacia delante para que la espinilla presione sobre la caña de la bota.

PIERNAS
Al pasar junto al **bastón**, levántese para **aligerar** los esquís. Este movimiento ascendente le hará girar alrededor del bastón después del cual debe volver a flexionarse. Extienda y flexione suavemente.

GANANDO CONFIANZA

VISIÓN DESDE ARRIBA

Observe cómo el esquiador se prepara para clavar el bastón mientras conserva los hombros en paralelo.

El bastón no sobrepasa la punta del esquí

RITMO

Como en todos los movimientos del esquí, al clavar el bastón conviene hacerlo suavemente pero con firmeza, mientras su cuerpo gira alrededor del bastón para luego recuperar la posición normal. Cuanto más paralelamente se deslice a la línea de descenso, los giros serán más cortos y tendrá que clavar el bastón con más frecuencia. Si mira a otros esquiadores los verá descender haciendo pequeños giros y clavando rápidamente los bastones a izquierda y derecha. Esto sirve para controlar la velocidad, de modo que busque una pendiente de unos 30° y trate de bajar lo más directamente posible, haciendo continuamente giros sucesivos y manteniendo un ritmo.

CUERPO
Después de girar, gran parte del peso estará sobre el esquí del valle y podrá reacomodar el esquí del monte. Entonces puede adoptar la **diagonal** y prepararse para un nuevo giro. En este momento los bastones están fuera de la nieve.

CABEZA
Mire hacia delante, decida exactamente dónde girará y piense en la secuencia del movimiento. No mire los esquís.

MIRADA
Mire hacia delante para decidir el lugar y el momento del giro.

CADERAS
Las caderas deben apuntar en la dirección de deslizamiento aun cuando la rodilla inferior está flexionada y el esquí del valle está absorbiendo la mayor parte del peso. Observe la posición del canto del esquí del valle.

PREPARACIÓN
Al prepararse para girar flexiónese más y dispóngase a **aligerar** los esquís después de extenderse. No adelante el brazo al clavar el esquí, puesto que volcará hacia adelante un hombro y perderá equilibrio.

PESO
Al **clavar el bastón** asegúrese que el 80 % del peso se traslada al esquí del valle.

BASTÓN
Clave el bastón cerca de la **punta** del esquí, ligeramente adelantado, con un movimiento descendente y firme. Mantenga el bastón alejado del esquí, de lo contrario pasará sobre el plato.

TÉCNICA

DÍA 2

12 DERRAPAJE

Definición: *deslizamiento lateral de los esquís mientras se desciende por la **línea de descenso***

PUEDE QUE UN PRINCIPIANTE encuentre difícil el derrapaje, puesto que supone el control del traslado del peso y los cantos, además de que es necesario asomarse a la pendiente. Sin embargo, es una maniobra placentera y muy práctica.

OBJETIVO: Descender sin perder la dirección. *Dificultad* ••••

Paso 1

DERRAPAJE

Desde la **diagonal**, con el peso sobre el esquí del valle, asomado y con las rodillas torcidas hacia fuera, ponga plano el esquí del valle para anular la acción del canto y poder deslizarse hacia abajo.

ADVERTENCIAS

PRESIÓN CON LOS CANTOS

Una de las grandes ventajas del **derrapaje**, además de tratarse de una forma segura de descender por una pendiente, es que permite percibir lo que sucede con los esquís, en tanto puede o no hacer presión con los cantos. Puede girar los esquís en varias direcciones al cambiar el **canto** en acción, y así por medio de la práctica ganar control y confianza.

VISTA

Mire hacia delante en la dirección de deslizamiento.

Mantenga la diagonal mientras derrapa

Línea de descenso

VISIÓN GLOBAL

Está en posición de **diagonal**, deslizándose en perpendicular a la **línea de descenso**. Ahora vuelque el peso sobre el esquí del valle y lleve el cuerpo ligeramente hacia delante. Los esquís comenzarán a derrapar lateralmente cuesta abajo.

CUERPO
Al detenerse coloque su cuerpo frente a la **línea de descenso** y no en la dirección de los esquís. En esta posición, asomándose ligeramente a la pendiente, podrá afirmarse gracias a los **cantos** de los esquís.

Paso 3

DETENERSE

Para detener el **derrapaje** sólo tiene que **clavar los cantos** y al morder éstos contra la nieve se detendrá el desplazamiento lateral y comenzará de nuevo a avanzar en **diagonal**.

ESQUÍS
Los **cantos** muerden la nieve y las **puntas** apuntan ligeramente hacia el monte.

PUNTAS DE LOS ESQUÍS
Para detener el **derrapaje** gire la **punta** de los esquís hacia el monte y clave los **cantos**. Se detendrá en ángulo recto a la dirección del deslizamiento.

Línea de descenso

CONTROL DE LA PRESIÓN DE LOS CANTOS

EL PIE ES EL SENSOR
En el **derrapaje** puede desplazarse lateralmente y hacia abajo, pero también puede avanzar. Para no perder el equilibrio, debe inclinarse sobre el monte. Observe que los tobillos están hacia afuera y las rodillas rectas. Cargue más el esquí del valle.

1. Cargue el peso sobre el esquí del valle y no se incline sobre la pendiente. Tuerza hacia afuera los tobillos y ponga planos los esquís.

2. Para volver a la **diagonal, clave los cantos** y tuerza las rodillas hacia la pendiente mientras vuelca el peso hacia delante.

TÉCNICA

12

CONTROL

Comience el **derrapaje** con los esquís en paralelo. Con el peso hacia fuera, deje que los esquís derrapen hacia abajo pero bajo control. Al presionar con los cantos puede controlar la velocidad y la uniformidad del movimiento.

ESQUÍS

Paralelos y ligeramente separados, bascule los tobillos para aplanar los esquís.

Aplane los esquís contra la nieve

RODILLAS

Junte las rodillas y flexiónelas hacia delante y afuera. Repita sucesivamente este movimiento para aumentar o eliminar la presión de los cantos.

CÓMO ASOMARSE

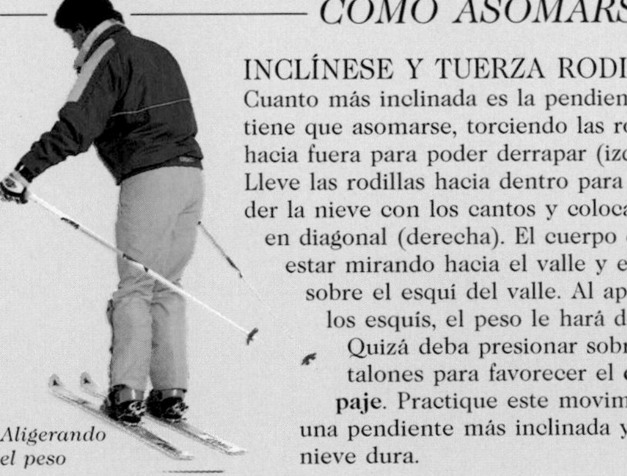

INCLÍNESE Y TUERZA RODILLAS

Cuanto más inclinada es la pendiente más tiene que asomarse, torciendo las rodillas hacia fuera para poder derrapar (izquierda). Lleve las rodillas hacia dentro para morder la nieve con los cantos y colocarse en diagonal (derecha). El cuerpo debe estar mirando hacia el valle y el peso sobre el esquí del valle. Al aplanar los esquís, el peso le hará derrapar. Quizá deba presionar sobre los talones para favorecer el **derrapaje**. Practique este movimiento en una pendiente más inclinada y sobre nieve dura.

Aligerando el peso

Cargando el peso

SECUENCIA DEL DERRAPAJE

Observe esta secuencia de **derrapaje** pendiente abajo por la línea de descenso y el método de frenado. A mayor flexión mayor frenado. Empuje hacia abajo con las piernas mientras gira las rodillas hacia fuera para aplanar los esquís y comenzar a derrapar. No enderece las rodillas. Requiere práctica pero pronto podrá derrapar por la pendiente bajo un control total.

DETENERSE
Una vez que haya derrapado bastante y quiera detenerse, flexione rodillas y caderas hacia el monte y clave con fuerza los cantos.
CUERPO
Observe la posición del hombro. Mire pendiente abajo mientras se inclina ligeramente hacia delante. No se siente.
BRAZOS Y BASTONES
Mantenga los brazos separados del cuerpo y la mano del valle más elevada mientras **derrapa**. No clave demasiado el **bastón** puesto que se lo llevará por delante. Gire el tronco en dirección al valle.
PIERNAS
Presione con las rodillas, torciéndolas hacia el monte.
Gire las rodillas hacia el monte
Línea de descenso
Clave los cantos en la nieve

TÉCNICA

DÍA 2

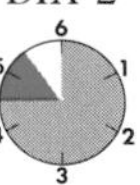

13 LECTURA DE LA LADERA

Definición: *Anticiparse a las circunstancias para evitar accidentes*

APRENDER LAS TÉCNICAS BÁSICAS del esquí, sea en casa o en las pistas, es la esencia de este cursillo. Pero, además de estas técnicas, debe tener en cuenta las irregularidades del terreno y a los otros esquiadores.

OBJETIVO: Estar atento a los cambios eventuales. *Dificultad* ••••

OBSTÁCULOS

Aprenda a reconocer los peligros ocultos en la ladera.

• NIÑOS
Preste atención a los niños-esquiadores que bajan con mucha seguridad pero poco control.

• ESQUIADORES CAÍDOS
Esquive a los esquiadores caídos en la pista.

• CURSILLO DE ESQUÍ
Tenga en cuenta que en poco tiempo, después de calentar y estirar los músculos, los alumnos del cursillo ocuparán gran parte de la pista.

VISIÓN GLOBAL

Ésta es la típica imagen con la que se encontrará al bajar una pista. Observe los obstáculos, humanos y naturales, trate de identificarlos y piense cómo evitarlos.

SEGURIDAD Y EFICIENCIA AL ESQUIAR

BENEFICIOS O PELIGROS

Estudiar una ladera no es tan sencillo como podría parecer (ver además pp. 90-91). Existen todo tipo de peligros que debe tener en cuenta, pero con la práctica pronto aprenderá a adoptar soluciones. Es raro encontrar pistas vacías y, si alguna lo está, debe ser por alguna razón. Quizá haya peligro de avalanchas. En fin, las pistas de esquí presentan ventajas y peligros potenciales. Aprenda a reconocer los primeros y evitar los últimos antes de creerse un esquiador aceptable. Los servicios de las estaciones de esquí pueden volverse peligrosos si no les presta atención. Por ejemplo, si está perdido en la niebla, el ruido de un arrastre puede servirle de guía.

ADAPTARSE A LO INESPERADO

Cada pista tiene sus peculiaridades, de modo que tiene que tenerlas en cuenta y adaptarse a ellas: acumulación de esquiadores, condiciones climáticas, visibilidad y terreno. Estudie la ladera y luego planee sus desplazamientos.

COLUMNAS DE LOS REMONTES
Cerca de las columnas, la capa de nieve suele ser gruesa y suele ocultar agujeros. Permanezca alejado y nunca intente atravesarlos. Tome un arrastre como punto de referencia en la ladera.

APISONADORAS
Preste atención a las máquinas de las pistas ya que maniobran con rapidez y sin aviso.

ROCAS
Preste atención a las rocas al descubierto situadas a los lados de la pista.

MONTÍCULOS
Éstos no son muy grandes pero pueden resultar un problema.

SOMBRAS
Si al esquiar pasa de una zona soleada a una de sombras su visión se reducirá por unos segundos. Además puede encontrar nieve dura, una capa congelada o hielo.

TÉCNICA

13

MONTÍCULOS Y HONDONADAS («BUMPS» Y «BAÑERAS»)

Adaptarse a las distintas superficies

FLEXIÓN Y EXTENSIÓN

No se preocupe por los montículos y hondonadas. Si mantiene las rodillas flexionadas y el cuerpo relajado puede salvar un cambio brusco en la superficie **flexionando** y **extendiendo** las rodillas y el cuerpo.

CABEZA
Mire adelante y estudie el terreno. Al aproximarse a montículos u hondonadas, prepárese regulando el peso y así controlar la velocidad.

BRAZOS
Mantenga los brazos separados para mantener el equilibrio.

TRONCO
Los montículos u hondonadas pueden impulsarle hacia delante o atrás. Para contrarrestarlos mantenga el cuerpo relajado pero no flojo, preparado para compensar cualquier fuerza vertical, ya sea ascendente o descendente.

FLEXIÓN
Las rodillas y las piernas sirven de amortiguadores. Extiéndalas cuando encuentre una hondonada y permita que se flexionen cuando encuentre un montículo. El cuerpo debe permanecer a una altura constante.

ESQUÍS
En una superficie irregular es muy fácil que se crucen los esquís y caerse. Los esquís deben estar en paralelo, con una separación de unos 15 cm y siempre dirigidos hacia delante.

SIEMPRE FLEXIONADO
No olvide nunca esquiar flexionado. El cuerpo debe estar relajado y las rodillas flexionadas todo el tiempo, como si fuese la suspensión de un automóvil. Imagínese subiendo y bajando regularmente y bajo control mientras salva las irregularidades del terreno.

EQUILIBRIO
El equilibrio es vital. Regule permanentemente el peso para conservar el equilibrio en cualquier tipo de superficie.

SCHUSS
Mantenga el peso hacia delante, los esquís paralelos, las rodillas flexionadas y prepárese para amortiguar la fuerza que provoca un montículo. En las hondonadas estire las rodillas.

PIERNAS
Enderece la posición extendiendo suavemente piernas y rodillas. No salte ni levante los brazos.

CUERPO
Incline el cuerpo hacia delante, hacia el valle. No se apoye sobre los talones.

BASTONES
Mantenga los **bastones** separados del cuerpo y utilícelos para no perder el equilibrio.

EXTENSIÓN
Extenderse significa erguirse sobre los esquís para compensar, sin excederse, cualquier movimiento desestabilizador y los efectos de la gravedad al topar con una hondonada.

— *CÓMO PASAR POR UNA DEPRESIÓN PROFUNDA* —

COMPENSAR LOS DESNIVELES
Observe detalladamente al esquiador. Entra en la hondonada en posición normal de flexión, luego **extiende** el cuerpo y las piernas para absorber el desnivel, vuelve a la posición de **flexión** al salir y aumenta la flexión de las rodillas al atravesar el montículo final del recorrido. **Flexión y extensión** sirven para compensar los efectos de montículos y hondonadas.

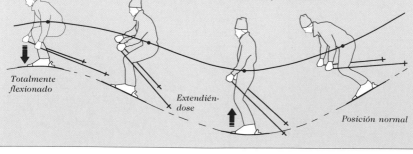

Totalmente flexionado

Extendiéndose

Posición normal

TÉCNICA

13

SALVANDO MONTÍCULOS

Práctica de la técnica de giros sucesivos

CÓMO BENEFICIARSE DE ELLOS

Muchos esquiadores sienten temor ante los **montículos**, pero son inevitables en una ladera, puesto que la fricción de los esquís al girar crean estos desniveles. Puede pasar por encima o esquivarlos, pero una vez que está en una superficie con montículos es imposible evitarlos.

INICIO DEL GIRO

Mire adelante e imagínese un sendero que serpentea los montículos. Comience el giro de forma normal abriendo un esquí y regulando el peso en la forma habitual. Debe controlar la velocidad y la dirección además de dirigir el esquí por encima o alrededor del montículo.

BRAZOS

Separe bastante los brazos y úselos para mantener el equilibrio.

ESQUÍS

Imagínese que es un coche de *rally* que avanza por una pista con muchos desniveles y que gracias a la amortiguación las ruedas siempre están en contacto con la superficie. Procure hacer lo mismo con los esquís.

PIERNAS

La mayor parte del peso se apoya sobre el esquí del valle, mientras que con las piernas **dirige** el recorrido.

TRONCO

Debe permanecer estable al sortear un montículo. No se siente sobre los gemelos ni se deslice muy deprisa.

PESO EXTRA
Vuelque el peso hacia delante para que la **punta** del esquí permanezca en contacto con la nieve. Aquí se desarrolla el giro y por tanto no puede despegarse del suelo.

CABEZA
Mantenga la cabeza erguida y mire adelante para anticiparse a los montículos.

CONTACTO
Lleve hacia delante el peso del tronco para conservar el equilibrio. La parte delantera de los esquís debe estar en contacto permanente con la nieve. Sienta la presión en los esquís y acompáñela con las piernas, piense en la suspensión del coche de *rally*, y verá que es necesario **flexionar** las rodillas para sortear el montículo.

PIERNAS
Doble las rodillas y **flexione** las piernas para absorber la fuerza ascendente que genera el terreno.

CÓMO SALVAR LAS DIFICULTADES

MONTÍCULOS EN EL TERRENO
Sortear los **montículos** exige cierta técnica. No se asuste, sólo se trata de acumulaciones de nieve. Conviene deslizarse a una velocidad media, no se exceda. No se incline sobre el montículo y no fije la vista en él —ambos errores de postura se observan en la figura de la derecha. La parte delantera del esquí debe estar en contacto con la nieve. Al deslizarse sobre un montículo cargue el peso sobre el esquí exterior. Aunque le parezca extraño ésta es la forma de conservar la parte delantera del esquí sobre la nieve y evitar contratiempos.

Postura incorrecta

ANTICIPACIÓN DEL GIRO
No ahorre giros y anticípese a los montículos. Al principio procure evitar estas zonas. Trate de mantenerse de cara a la **línea de descenso**. Si rodea un montículo utilice los cantos para no derrapar sobre él. Si pasa sobre él recuerde girar al hallarse en el punto más elevado y no después. Girar los esquís le resultará más fácil de lo que parece puesto que hay menor superficie de contacto con la nieve y por tanto menor resistencia.

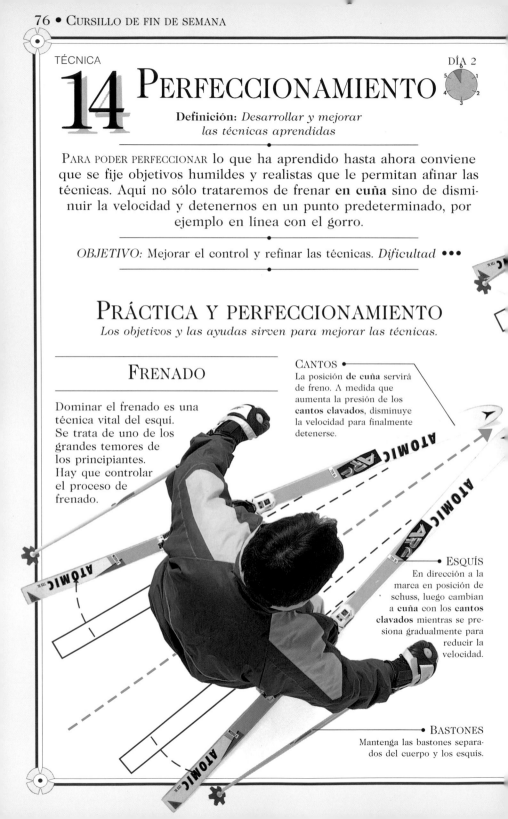

TÉCNICA

DÍA 2

14 PERFECCIONAMIENTO

Definición: *Desarrollar y mejorar las técnicas aprendidas*

PARA PODER PERFECCIONAR lo que ha aprendido hasta ahora conviene que se fije objetivos humildes y realistas que le permitan afinar las técnicas. Aquí no sólo trataremos de frenar **en cuña** sino de disminuir la velocidad y detenernos en un punto predeterminado, por ejemplo en línea con el gorro.

OBJETIVO: Mejorar el control y refinar las técnicas. *Dificultad* •••

PRÁCTICA Y PERFECCIONAMIENTO

Los objetivos y las ayudas sirven para mejorar las técnicas.

FRENADO

Dominar el frenado es una técnica vital del esquí. Se trata de uno de los grandes temores de los principiantes. Hay que controlar el proceso de frenado.

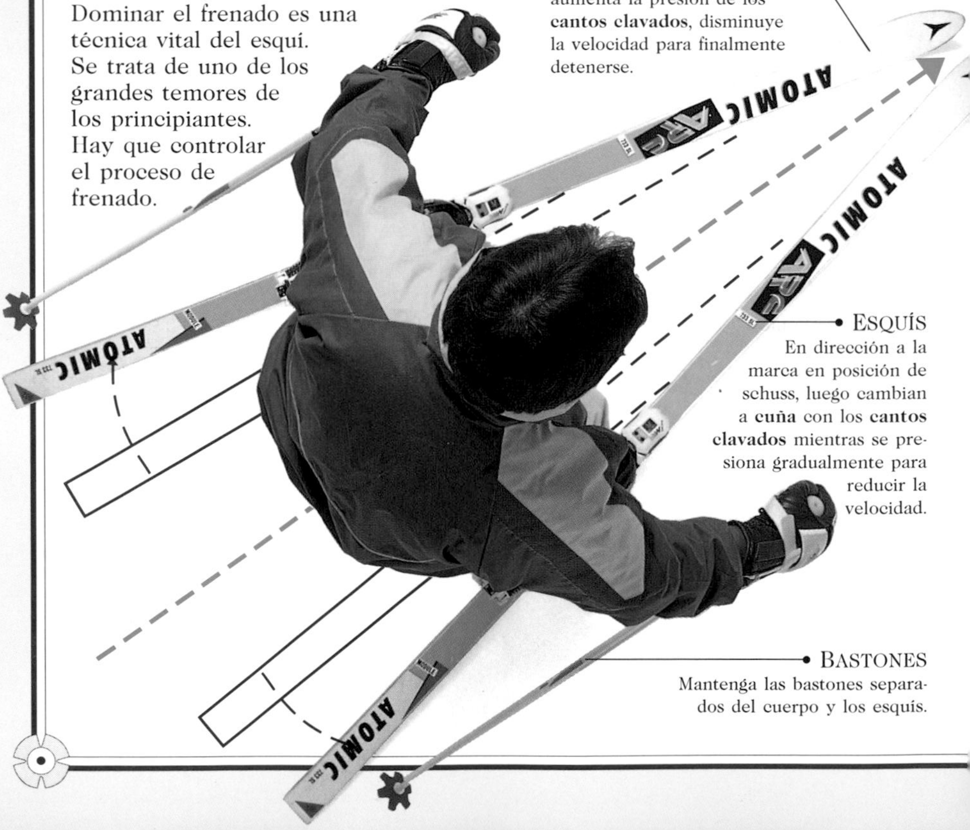

CANTOS • La posición **de cuña** servirá de freno. A medida que aumenta la presión de los **cantos clavados**, disminuye la velocidad para finalmente detenerse.

ESQUÍS • En dirección a la marca en posición de schuss, luego cambian a **cuña** con los **cantos clavados** mientras se presiona gradualmente para reducir la velocidad.

BASTONES • Mantenga las bastones separados del cuerpo y los esquís.

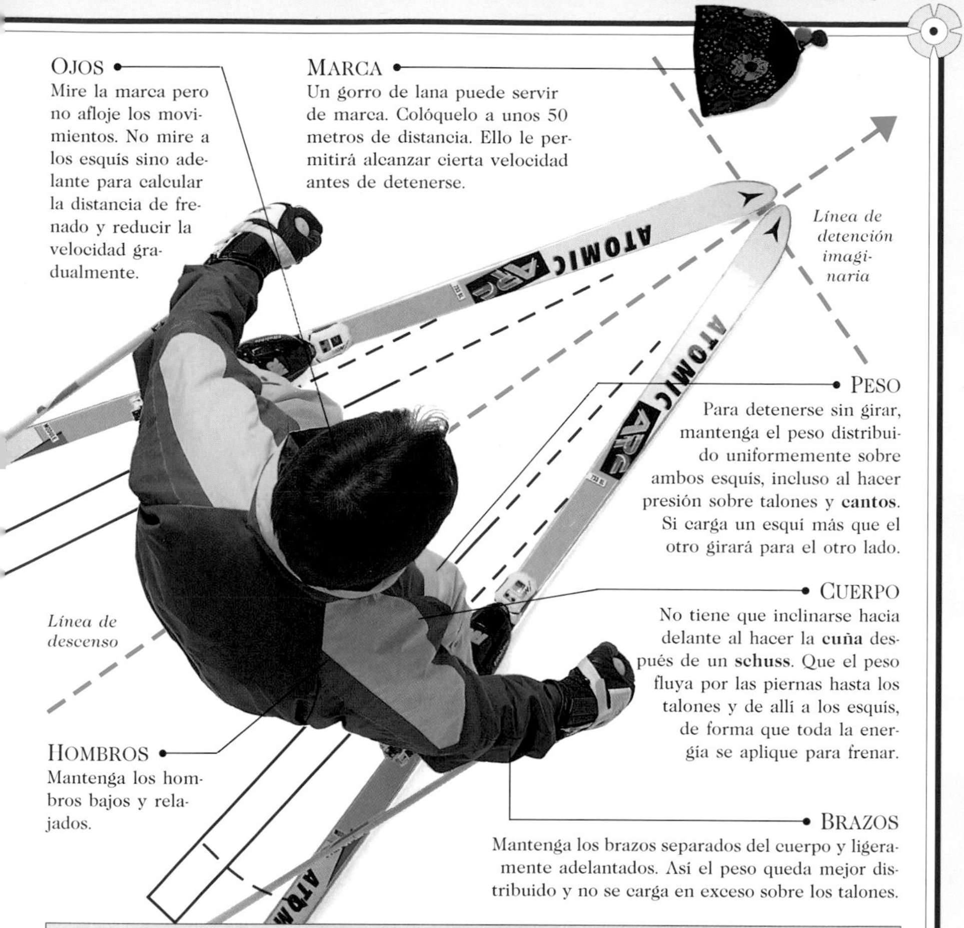

OJOS
Mire la marca pero no afloje los movimientos. No mire a los esquís sino adelante para calcular la distancia de frenado y reducir la velocidad gradualmente.

MARCA
Un gorro de lana puede servir de marca. Colóquelo a unos 50 metros de distancia. Ello le permitirá alcanzar cierta velocidad antes de detenerse.

Línea de detención imaginaria

PESO
Para detenerse sin girar, mantenga el peso distribuido uniformemente sobre ambos esquís, incluso al hacer presión sobre talones y **cantos**. Si carga un esquí más que el otro girará para el otro lado.

CUERPO
No tiene que inclinarse hacia delante al hacer la **cuña** después de un **schuss**. Que el peso fluya por las piernas hasta los talones y de allí a los esquís, de forma que toda la energía se aplique para frenar.

Línea de descenso

HOMBROS
Mantenga los hombros bajos y relajados.

BRAZOS
Mantenga los brazos separados del cuerpo y ligeramente adelantados. Así el peso queda mejor distribuido y no se carga en exceso sobre los talones.

TRASLADO DEL PESO

PASO A PASO

Cargar el peso significa permitir que el peso de su cuerpo aumente la presión de los esquís sobre la nieve. **Aligerar** es la acción contraria y supone quitar la fuerza aplicada sobre los esquís para poder **iniciar** un cambio de dirección. Ambas acciones son necesarias para desarrollar una técnica de esquí correcta. Hay muchas formas de practicar estos movimientos. Primero ensaye en las escaleras de su casa. El objetivo es concentrarse en el **traslado de peso** de una pierna a otra. Suba las escaleras de costado, como muestra la figura, y luego baje como si estuviese esquiando. Practicarlo con las botas puede parecerle extraño y difícil al principio, pero insista y trate de mantener la postura correcta. Este ejercicio le servirá para mejorar el control del equilibrio.

TÉCNICA

14 MOVERSE CON NATURALIDAD

Observe cómo el esquiador hace la **cuña**. Observe cómo comienza en una posición abierta (exagerada para enseñar la reacción) para ir cerrándose a medida que disminuye y neutraliza la velocidad de descenso.

MIRADA
Concéntrese en detenerse en el lugar prefijado y mire hacia delante.

POSICIÓN INICIAL
Adopte una posición erguida, los brazos abiertos, los esquís en perpendicular a la línea de descenso y sin clavar demasiado los cantos. Deje deslizarse antes de comenzar a **clavar los cantos** (frenos) con la presión de las rodillas.

ERGUIDO
Comience con el cuerpo erguido, no mire hacia abajo sino adelante.

CABEZA
Procure frenar sin mirar los esquís.

Levantar

PIERNAS
Mantenga las piernas casi rectas para no clavar los cantos.

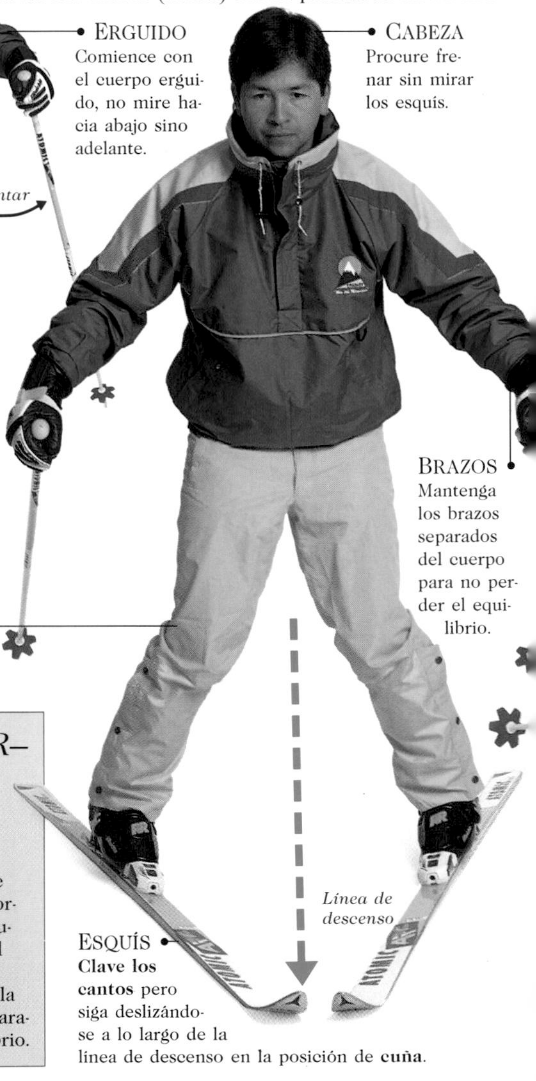

BRAZOS
Mantenga los brazos separados del cuerpo para no perder el equilibrio.

RODILLAS
Las rodillas siguen separadas pero menos que al principio.

Línea de descenso

ESQUÍS
Clave los cantos pero siga deslizándose a lo largo de la línea de descenso en la posición de **cuña**.

–COMENZAR A FRENAR–

CAMBIO DE POSTURA
Observe cómo el esquiador (derecha) comienza a controlar la velocidad, mientras inclina el cuerpo hacia delante, flexiona las rodillas, recoge los brazos y los hombros toman una forma circular. En este momento está neutralizando la velocidad de **descenso.** El peso se apoya sobre ambos esquís, de cara al valle, a medida que disminuye la velocidad. Brazos y bastones están separados del cuerpo para mantener el equilibrio.

PRÁCTICA DE LA DIAGONAL

VISUALIZACIÓN

Para mejorar su técnica de **diagonal**, imagínese una valla que cruza la línea de descenso. Luego imagínese junto a ella, de costado a la pendiente. Esto le llevará a adoptar automáticamente la postura correcta de la diagonal, con las caderas y los hombros correctamente alineados en tanto tuerza el torso como muestra la figura. Al deslizarse en diagonal trate de imaginarse encaramado junto a una barandilla. Procure utilizar esta imagen para ayudarse al final de cada giro y ganar confianza en la diagonal al comenzar el próximo giro. No se olvide de **angular** el tronco y asomarse a la pendiente mientras adopta la posición de **coma**. Si **clava los cantos** no se **deslizará** pendiente abajo.

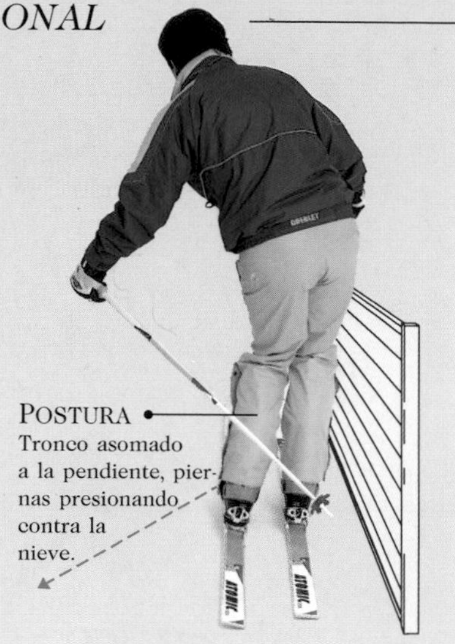

POSTURA
Tronco asomado a la pendiente, piernas presionando contra la nieve.

MUSLOS
Junte muslos y rodillas y presione hacia delante. **Clave** totalmente los **cantos.**

ENCOGERSE
Observe cómo el esquiador pasa de una posición abierta a una cerrada y encogida. Cuanto más rápido sea el cambio de posición más rápido frenará.

CUERPO Y EQUILIBRIO
Incline el tronco, recoja brazos y codos para compensar la fuerza de frenado que ejercen los esquís y mantener el equilibrio, cuyo centro debe ser el centro de la **cuña**. No permita que el peso se apoye más sobre alguno de los esquís.

PRESIÓN DE LAS RODILLAS
Al presionar las rodillas con las manos los bastones quedan alejados de los esquís y por encima de la nieve.

CANTOS
Incline y **clave los cantos** de los esquís mientras dobla las rodillas y **carga el peso**. Así los cantos morderán mejor en la nieve y ganará afirmación y control sobre los esquís.

PRESIÓN DE LOS PUÑOS
Resulta útil presionar las rodillas con los puños puesto que ayuda a adoptar la postura correcta.

DESPUÉS DEL FIN DE SEMANA

Practicar y seguir aprendiendo en las pistas

YA HA TERMINADO SU CURSILLO de esquí de fin de semana y ahora domina los movimientos básicos de este deporte. Sabe cómo desplazarse en diagonal, cómo frenar, girar, caer y levantarse, cómo bajar por una pendiente y prepararse mentalmente para las diversas dificultades. Éstos son los fundamentos y en tanto no los controle jamás podrá llegar a esquiar correctamente.

EL PLACER DE APRENDER
Antes que nada, no deje de disfrutar mientras aprende. No se preocupe por los problemas. Frente a una dificultad vuelva a los movimientos básicos y verá cómo progresará rápidamente.

El mejor lugar para aprender es a una escuela de esquí donde los monitores hablen su idioma, utilicen términos que usted pueda comprender y sepan cómo analizar y resolver sus dificultades. Trate de apuntarse en una clase reducida si es posible. Después del cursillo de fin de semana estará mucho más avanzado que la mayoría de sus compañeros y se sentirá preparado para una clase más avanzada o algunas lecciones particulares a fin de mejorar su técnica y estilo. Lo más importante es seguir esquiando, nada le servirá más que la nieve. Las técnicas básicas del cursillo le servirán para aventurarse a terrenos más exigentes: pendientes más elevadas y nieve más profunda, ya sea dentro o fuera de las pistas.

ESQUÍS JUNTOS

El arte de hacer ***giros paralelos*** *suaves y enlazados*

TODOS LOS PRINCIPIANTES desean **girar en paralelo.** Es atractivo y la sensación es maravillosa, pero requiere práctica. Primero recuerde que los esquís no deben estar excesivamente juntos para girar en paralelo. Para que la posición sea estable tienen que estar alineados con las caderas. En segundo lugar, recuerde que el cambio de cantos de ambos esquís debe ser simultáneo. Para ello tendrá que poner en práctica todo lo aprendido, que a poca velocidad y con confianza le permitirá juntar los esquís.

VELOCIDAD Y ATAQUE
Resulta más fácil juntar los esquís si se desliza rápidamente y junto a la **línea de descenso**. Observe la imagen del esquiador.

CÓMO SIRVE LA VELOCIDAD

TRASLADO DEL PESO
Para esquiar en paralelo hay que deslizarse más rápido. Así **cargará** o **aligerará** más rápidamente los esquís. Al trasladar el peso los esquís giran con más facilidad. No se apresure a juntar los esquís. Procure mantener una postura abierta y equilibrada: esto minimiza el problema de la velocidad. Aproveche la velocidad para girar, mantenga la vista cuesta abajo y comience a girar con más rapidez. No es necesario forzar los esquís si se desliza con velocidad. Además ésta sirve para aligerar los esquís en el momento de iniciar un giro.
Con la velocidad, un ligero movimiento ascendente del cuerpo libera la fuerza de la **gravedad** y aligera el esquí.

PRÁCTICA DEL GIRO

Observe cómo el esquiador junta los esquís. Mantiene el equilibrio sobre el esquí de apoyo mientras que se acerca hacia el centro el esquí sin peso. Al girar a cierta velocidad no sólo podrá mantener más juntos los esquís sino que además podrá iniciar el giro aligerando ambos esquís. Esto supone práctica, de modo que concéntrese en girar suavemente, esquiar más rápido y juntar los esquís.

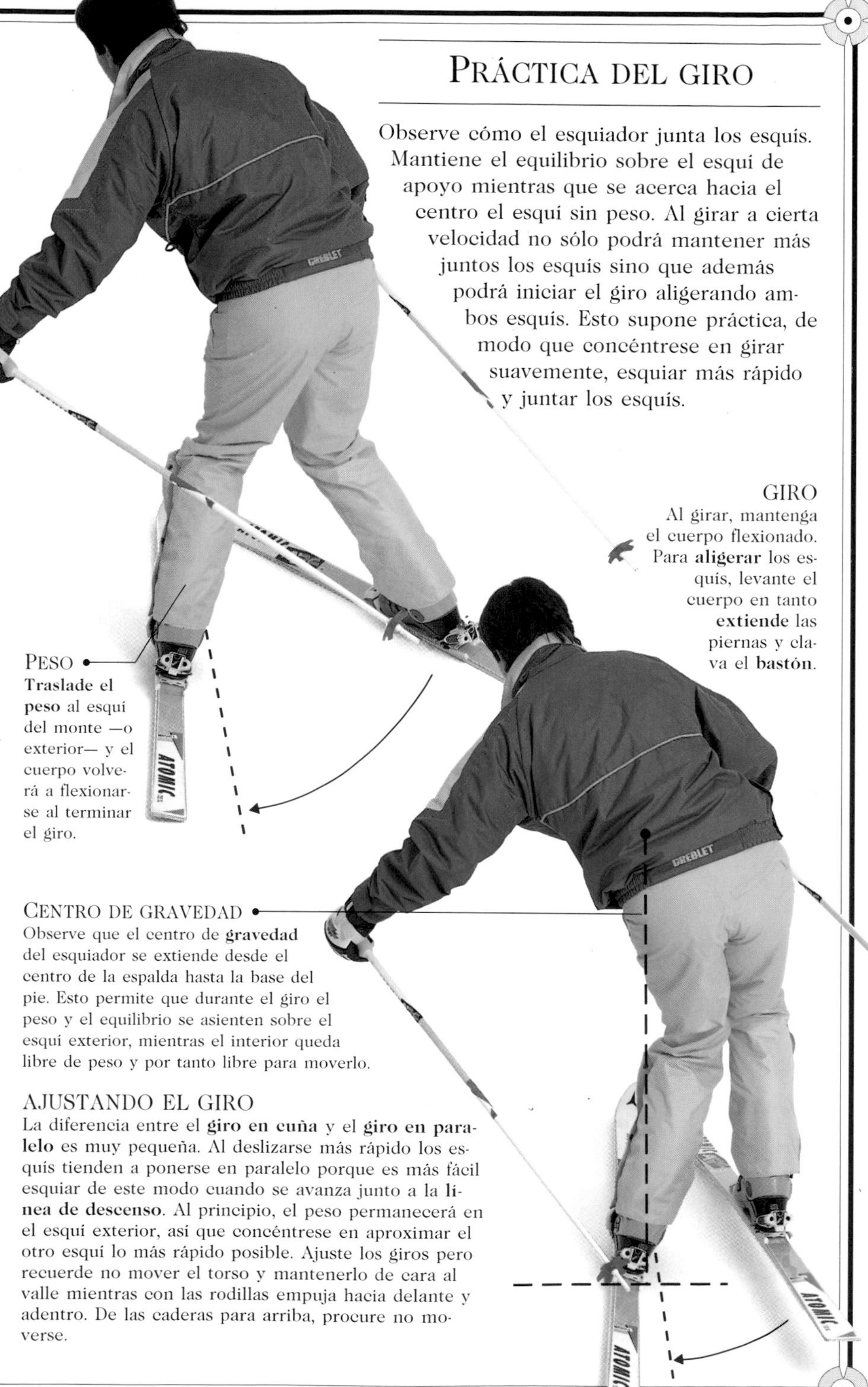

GIRO
Al girar, mantenga el cuerpo flexionado. Para **aligerar** los esquís, levante el cuerpo en tanto **extiende** las piernas y clava el **bastón**.

PESO
Traslade el peso al esquí del monte —o exterior— y el cuerpo volverá a flexionarse al terminar el giro.

CENTRO DE GRAVEDAD
Observe que el centro de **gravedad** del esquiador se extiende desde el centro de la espalda hasta la base del pie. Esto permite que durante el giro el peso y el equilibrio se asienten sobre el esquí exterior, mientras el interior queda libre de peso y por tanto libre para moverlo.

AJUSTANDO EL GIRO

La diferencia entre el **giro en cuña** y el **giro en paralelo** es muy pequeña. Al deslizarse más rápido los esquís tienden a ponerse en paralelo porque es más fácil esquiar de este modo cuando se avanza junto a la **línea de descenso**. Al principio, el peso permanecerá en el esquí exterior, así que concéntrese en aproximar el otro esquí lo más rápido posible. Ajuste los giros pero recuerde no mover el torso y mantenerlo de cara al valle mientras con las rodillas empuja hacia delante y adentro. De las caderas para arriba, procure no moverse.

PERFECCIONAR EL EQUILIBRIO

Observe al esquiador (izquierda): puede parecer que se sienta en exceso y que por tanto pierde el equilibrio, pero de hecho está compensando los efectos de la velocidad y el terreno a medida que desciende directamente a través de una zona de montículos. No hay un único punto de equilibrio en el esquí. Éste debe adecuarse al terreno y la velocidad. Regule la **postura abierta** de acuerdo a sus necesidades para mantener el control y el equilibrio. Equilibrio y control van juntos, pero el equilibrio va primero. Si pierde el equilibrio perderá el control.

UNA PENDIENTE ABRUPTA

Mantenga las rodillas flexionadas y hacia delante mientras desciende. Así mantendrá la presión sobre la parte delantera de los esquís y conservará el control. Mantenga los esquís en paralelo, aunque no es necesario que estén muy juntos.

BRAZOS
Los brazos actúan como alas, esenciales para mantener el equilibrio.

POSTURA
Regule la postura según la pendiente y la superficie.

CUERPO
Relájese e inclínese hacia delante sobre las rodillas y los muslos mientras no pierde la capacidad de flexionarse y extenderse para compensar los montículos y no perder el equilibrio.

BASTONES
Use los bastones para mantener equilibrio y control.

PESO
Cargue mayormente el peso sobre el esquí derecho pero flexione ambas rodillas para ganar estabilidad y absorber los efectos de los montículos.

ESQUÍS
Mantenga los esquís en paralelo y un poco separados. Si carga el peso sobre la parte delantera de los esquís, éstos no rebotarán al encontrarse con nieve dura y reducirá las probabilidades de que se crucen las puntas.

ESQUÍ TODO TERRENO

Observe al esquiador (derecha) sobre nieve blanda, descendiendo por una pendiente abrupta. Se desliza con seguridad puesto que ha aprendido y practicado las técnicas básicas antes de acometer este tipo de superficies. Está en equilibrio de acuerdo al terreno y esquía suavemente pero con agresividad.

FLUIR COMO UN RÍO

DESLIZARSE CON EL FLUJO

Esquiar es una actividad tanto mental como física —una sensación mental— así que deje que su imaginación busque la solución a una dificultad, como si fuese un paso previo para resolverla. Por ejemplo, observe los dos esquiadores (izquierda) descender por una zona de **montículos**. Al encontrarse en esta situación es muy útil imaginarse cómo serpentea una corriente de agua a través de una cauce rocoso... no choca contra las piedras sino que fluye por encima de las pequeñas y bordea las grandes. Deje que los esquís se encarguen de la tarea y evite forzarlos con movimientos bruscos.

NIEVE VIRGEN

Adaptarse a situaciones nuevas y exigentes

No se imagine que siempre esquiará sobre nieve firme, cuidada o **pisada**. Puede que nieve durante la clase, o la noche anterior, y tenga que arreglárselas con nieve virgen. Incluso ésta puede variar, desde muy liviana y espumosa a la muy húmeda y pesada. La nieve **polvo virgen** y profunda permite la experiencia más maravillosa, esquiar **fuera de pista** por donde no hay senderos marcados. No obstante, la nieve recién caída puede ser peligrosa, de modo que preste atención a las señales de advertencia, las banderas de avalanchas y las pistas cerradas. No se alarme si no puede ver sus esquís puesto que no debería mirarlos.

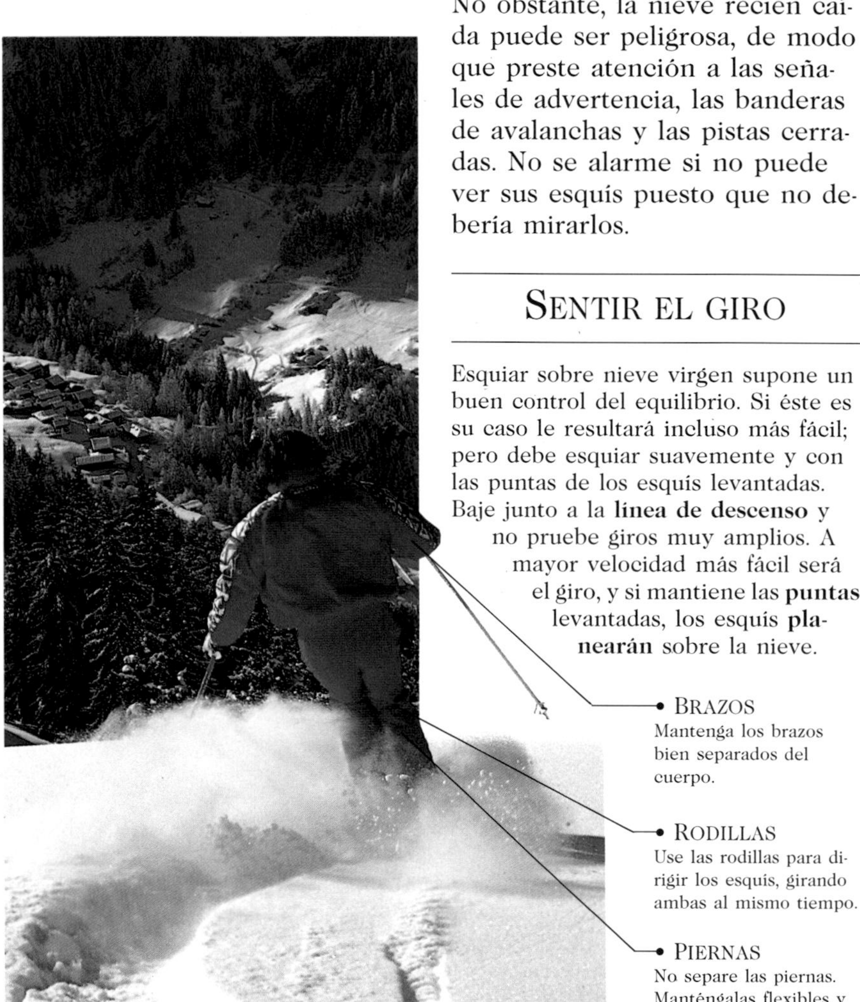

SENTIR EL GIRO

Esquiar sobre nieve virgen supone un buen control del equilibrio. Si éste es su caso le resultará incluso más fácil; pero debe esquiar suavemente y con las puntas de los esquís levantadas. Baje junto a la **línea de descenso** y no pruebe giros muy amplios. A mayor velocidad más fácil será el giro, y si mantiene las **puntas** levantadas, los esquís **planearán** sobre la nieve.

• BRAZOS
Mantenga los brazos bien separados del cuerpo.

• RODILLAS
Use las rodillas para dirigir los esquís, girando ambas al mismo tiempo.

• PIERNAS
No separe las piernas. Manténgalas flexibles y elásticas.

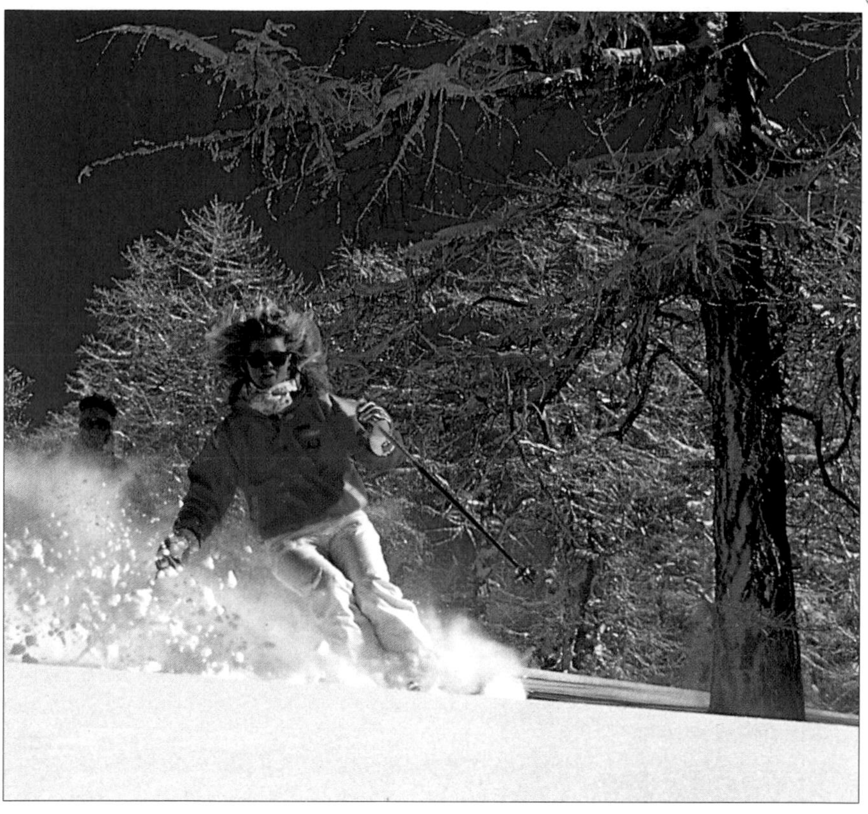

MOVIMIENTO FLUIDO Y ÁGIL
Esta esquiadora desciende casi paralela a la **línea de descenso**. Lleva las piernas juntas y está iniciando el giro. Es la posición ideal para la **nieve polvo**. La nieve blanda y profunda reduce la velocidad y por tanto no hay nada que temer en llevar los esquís de cara al valle. Manténgalos juntos y con las **puntas** levantadas.

RECOMENDACIONES PARA LAS PUNTAS DE LOS ESQUÍS

NIEVE AL TOBILLO

Observe la posición de los esquís en la nieve y compare las dos imágenes. Con la nieve al tobillo, el esquiador puede adoptar la posición clásica del esquí y no encontrará mucha resistencia. Apoya el peso sobre el centro de los esquís y las puntas van abriéndose paso suavemente por la superficie.

Los esquís se asientan sobre una capa firme debajo de la nieve superficial

NIEVE A LA RODILLA

La necesidad de mantener las puntas levantadas e ir rompiendo la profunda capa de nieve exige un cambio de posición y equilibrio, tal como enseña la figura. No se siente deliberadamente. Regule la posición sólo para que las puntas vayan abriéndose camino por la superficie y permitan que los esquís planeen.

Levante las puntas: observe cómo van surcando la superficie

LANZARSE POR LA LADERA

Mire adelante, estudie el terreno y aproveche la velocidad para girar una y otra vez

LA MAYORÍA DE LOS PRINCIPIANTES temen la velocidad, normalmente porque no saben cómo controlarla. Debe superar este problema puesto que para esquiar correctamente es necesaria cierta velocidad para girar, además de una actitud decidida para girar y deslizarse en la dirección deseada. No disminuya la velocidad antes de girar.

MIRADA
Mire adelante y estudie la ladera. Visualice el lugar donde girará y recuerde siempre que conviene anticipar los giros y girar a menudo. No se salga de la pista.

A POR ELLA

No podrá esquiar sin girar y la velocidad le ayudará a hacerlo. La velocidad también le servirá para **aligerar** los esquís y neutralizar la fuerza de la **gravedad.**

RITMO CORPORAL
Un buen esquiador se desliza junto a la línea de descenso. Procure hacer lo mismo. El cuerpo relajado y hacia delante y un giro le llevará rítmicamente al otro.

PIERNAS
Flexione las rodillas para no perder el equilibrio al girar.

LA VELOCIDAD AHORRA ESFUERZOS

LA VELOCIDAD AYUDA A GIRAR
La velocidad reemplaza gran parte del esfuerzo físico y subraya los movimientos necesarios para girar y controlar los esquís. En la práctica eso significa que sólo un ligero movimiento con las piernas o el cuerpo, en conjunción con un poco de velocidad, producirá un efecto igual a un gran movimiento, que ponga en peligro el equilibrio, ejecutado a poca velocidad.

Puesto que la velocidad ahorra esfuerzos, quienes esquíen un poco más rápido se cansarán menos y esquiarán mejor a lo largo de la jornada. Otra de sus ventajas es que para esquiar más rápido hay que esquiar mejor. Al girar a velocidad no es necesario **aligerar** tanto los esquís, lo que permite hacerlo con más suavidad, sin la necesidad de exagerar los movimientos ni correr el riesgo de perder la postura o el equilibrio.

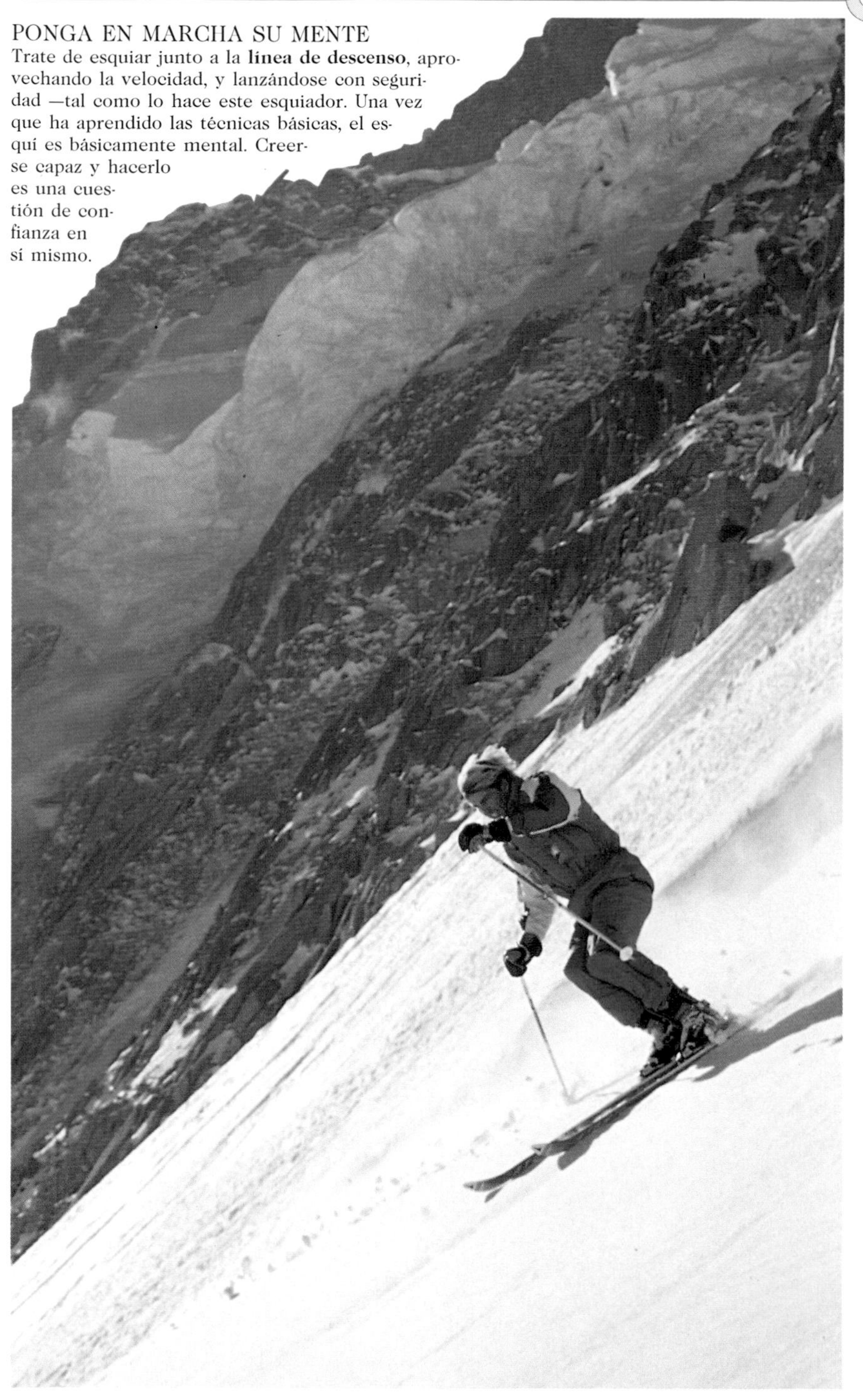

PONGA EN MARCHA SU MENTE
Trate de esquiar junto a la **línea de descenso**, aprovechando la velocidad, y lanzándose con seguridad —tal como lo hace este esquiador. Una vez que ha aprendido las técnicas básicas, el esquí es básicamente mental. Creerse capaz y hacerlo es una cuestión de confianza en sí mismo.

PRECAUCIÓN Y SEGURIDAD

Observe y cumpla con el código del esquiador y la señales de las pistas

EL ESQUÍ ES UN DEPORTE MARAVILLOSO pero, como en todos los deportes, puede haber accidentes. De modo que no olvide las reglas del código del esquiador: 1. No esquíe de modo que suponga un riesgo para los demás. 2. Esquíe de acuerdo a su capacidad y teniendo en cuenta las condiciones del terreno y atmosféricas. 3. Si hay esquiadores delante de usted evite realizar maniobras que los ponga en peligro. 4. Calcule una distancia amplia al adelantar a otro esquiador. 5. No ingrese, ni cruce, ni vuelva a arrancar después de haberse detenido en una pista, sin observar antes si vienen otros esquiadores. 6. Procure no detenerse en pasajes estrechos o zonas de escasa visibilidad. 7. Si asciende, hágalo por el lado de la pista. Si camina, no lo haga por el centro de la pista y quédese a un lado. 8. Respete las señales de las pistas.

LAS CONDICIONES CLIMÁTICAS

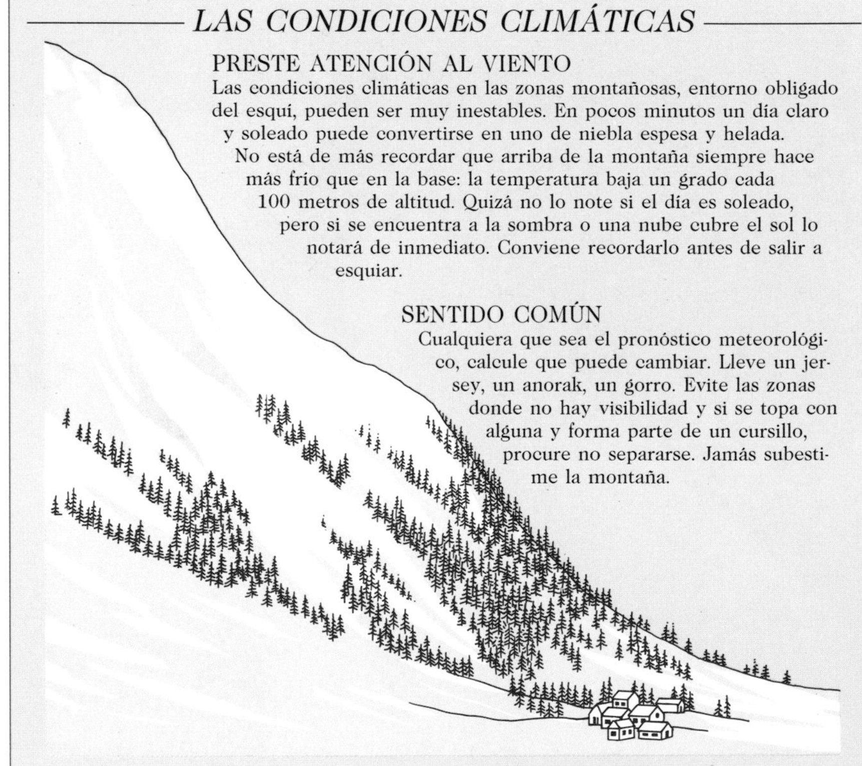

PRESTE ATENCIÓN AL VIENTO

Las condiciones climáticas en las zonas montañosas, entorno obligado del esquí, pueden ser muy inestables. En pocos minutos un día claro y soleado puede convertirse en uno de niebla espesa y helada. No está de más recordar que arriba de la montaña siempre hace más frío que en la base: la temperatura baja un grado cada 100 metros de altitud. Quizá no lo note si el día es soleado, pero si se encuentra a la sombra o una nube cubre el sol lo notará de inmediato. Conviene recordarlo antes de salir a esquiar.

SENTIDO COMÚN

Cualquiera que sea el pronóstico meteorológico, calcule que puede cambiar. Lleve un jersey, un anorak, un gorro. Evite las zonas donde no hay visibilidad y si se topa con alguna y forma parte de un cursillo, procure no separarse. Jamás subestime la montaña.

SIMBOLOGÍA DE LAS SEÑALES

Preste atención a las diferentes señales y carteles desplegados en las pistas. Algunos son informativos, otros de precaución. No deje de consultar los mapas de las pistas.

PISTA AZUL (EUROPA)

Para principiantes que saben las técnicas básicas y necesitan espacio. Son pendientes abiertas, con espacio para girar y sin montículos, rocas o árboles. Las verdes son aún más fáciles.

PISTA ROJA (EUROPA)

Para esquiadores avanzados, capaces de girar en paralelo a cierta velocidad. Suelen presentar diversas dificultades así como zonas abiertas.

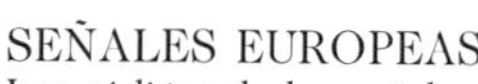

PISTA NEGRA (EUROPA)

Diseñadas para esquiadores expertos, las pistas negras son muy estrechas, con muchos montículos y suelen ser poco fiables cuando están en malas condiciones.

SEÑALES Y SENDEROS EN ESTADOS UNIDOS

Los centros de esquí norteamericanos no tienen pistas rojas. Sólo disponen de verdes (principiantes), azules (avanzados), diamante negro (esquiadores más agresivos) y doble diamante negro (expertos).

SEÑALES EUROPEAS

Los códigos de las señales pueden variar con respecto a los de Estados Unidos.

SEÑAL DE PELIGRO

Esta señal significa que hay máquinas apisonadoras, columnas o algún otro peligro.

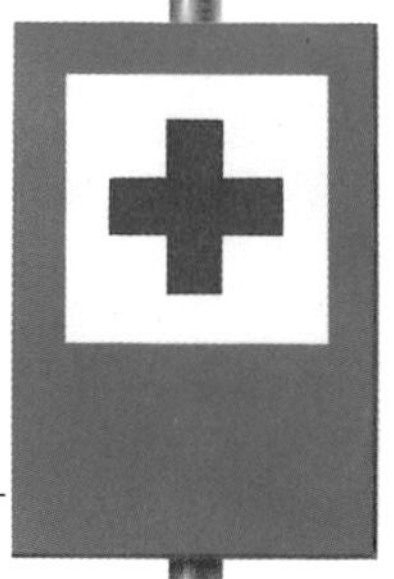

Teléfono de emergencia

Atención - Máquina trabajando

Centro de primeros auxilios

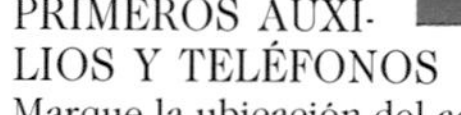

PELIGRO DE AVALANCHA

Las avalanchas no son frecuentes pero el riesgo siempre existe, en especial después de nevadas fuertes. Nunca esquíe por una pista cerrada señalizada con un cartel o una bandera negra y amarilla.

PRIMEROS AUXILIOS Y TELÉFONOS

Marque la ubicación del accidentado clavando los esquís en forma de cruz cerca de él. Pida ayuda por teléfono o con el poste de emergencia.

GLOSARIO

A

Aligerar: Extender las piernas y el cuerpo durante el giro para reducir la presión sobre el esquí de giro y lograr mayor coordinación y rapidez.
Angulación: Posición del cuerpo al clavar cantos, tronco asomado al valle y, caderas y rodillas torcidas hacia el monte. También llamada posición de «coma».
Anticipación: Preparación de cuerpo y esquís para iniciar un giro.

B

Bache: Montículos de nieve acumulada por la acción de giro de los esquís.
Bastón de esquí: Palos de apoyo y equilibrio que sirven para girar.

C

Cantear: Clavar el canto a velocidad.
Cantos: Tiras de metal especialmente resistentes situadas a ambos lados de la base del esquí que sirven para frenar.
Cargar el peso: Hacer presión sobre un esquí para iniciar o completar el giro.
Centro de gravedad: Punto de equilibrio donde se concentra el peso del cuerpo del esquiador.
Clavar bastón: Acción de introducir el bastón en la nieve.
Clavar cantos: Torcer los esquís para que muerdan en la nieve y el esquiador pueda afirmarse.
Cola: Extremo posterior del esquí.
Combadura: Arco reforzado construido en el esquí para absorber el peso del esquiador mientras que puntas y colas permanecen en contacto con la nieve. Absorbe fuerzas ascendentes y descendentes.
Comienzo del giro: Punto en el que el esquiador deja la línea de deslizamiento para iniciar el giro.
Cuña: Posición de control del deslizamiento con los esquís en forma de «V».

D

Derrapaje: Deslizamiento lateral y en descenso bajo control.
Deslizamiento: Cuando los esquís patinan hacia delante o atrás sobre la nieve.
Diagonal: Esquiar en dirección perpendicular a la pendiente y en ángulo recto con la línea de descenso.

E

Enganchar el canto: Tropezar y caer por haber clavado accidentalmente el canto en la nieve.
Extensión: Movimiento ascendente de las caderas, rodillas y tobillos para aligerar los esquís durante el giro.

F

Fijaciones: Mecanismo con pieza de puntera y talón que sujeta la bota al esquí pero que la libera ante la presión.
Flexión: Postura baja con rodillas, caderas y tobillos doblados.
Forma estrangulada: Perfil del esquí cuya parte central es más estrecha que los extremos.

G

Giro en cuña: Un giro iniciado desde la posición de cuña en el cual se carga más peso sobre un esquí.
Giro en paralelo: Cambiar completamente la dirección manteniendo los esquís en paralelo.
Giro estrella: Girar en la posición, sea sobre las puntas o colas de los esquís, como si se tratase de las manecillas de un reloj.
Gravedad: Fuerza que atrae un cuerpo hacia la tierra; fuerza que permite descender por una pendiente.
Guiar: Parte central del giro después de comenzado.

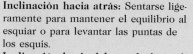

I

Inclinación hacia atrás: Sentarse ligeramente para mantener el equilibrio al esquiar o para levantar las puntas de los esquís.
Inclinación hacia delante: Inclinar el cuerpo hacia delante desde la posición vertical para cargar el peso sobre la parte delantera de los esquís.

L

Línea de descenso: La recta más abrupta y corta de una pendiente.

M

Mapa de pistas: Diagrama de bolsillo de las pistas y los remontes.

N

Nieve polvo: Nieve ligera y liviana, a menudo recién caída y que aún no ha sido comprimida o pisada.

P

Parte delantera: Sección frontal del esquí, entre la combadura y la punta.
Pasos laterales: Ascender de costado una pendiente, paso a paso, habitualmente sobre los cantos de los esquís.
Pista: Pendiente preparada para esquiar, con nieve pisada.
Pista cerrada: Pendiente no preparada para esquiar ni señalizada.
Pista para principiantes: Pista para esquiadores primerizos. Puede situarse arriba de la montaña pero suele estar cerca de la escuela de esquí en la base.
Posición de coma: Ver Angulación.
Postura abierta: Ambos esquís situados en línea con las caderas en posición paralela.
Preparación: Movimiento anterior al inicio de un giro, como la flexión de las rodillas.
Punta: Extremo delantero del esquí.

R

Remar: Clavar y empujar simultáneamente con ambos bastones para avanzar, especialmente en terrenos planos.

S

Schuss: Descenso con los esquís paralelos y en línea recta por la pendiente.
Sobregiro: Giro cuyo radio excede las posibilidades de la pista.
Soporte: Parte central de la tabla de esquí donde se asienta la fijación.

T

Talón: Extremo trasero del esquí, también llamado cola.
Trasladar el peso: Pasar el peso del cuerpo de un esquí al otro para ganar estabilidad o iniciar el giro.

ÍNDICE TEMÁTICO

A

Aclimatación 10-11
Aligerar el peso 63, 77
Anoraks 16
Apisonadoras 71, 91
Arrastres 12, 14-15
Arrastres de la base 13
Avalanchas, advertencias de 71, 86, 91

B

Bañeras, *ver* Montículos y hondonadas
Bastones
  caída, 40-41
  empuñadura 32
  levantarse 40-41
  pasos laterales 43
  percha 15
  platos 21
  práctica del frenado 76
  remar 35
  schuss 53, 73
  y equilibrio 84
Botas
  adaptación 8-9, 24-25
  colocación 9
  entrada delantera 19
  entrada trasera 18-19
Brazos, postura de los 24, 31
Bumps, *ver* Montículos y hondonadas

C

Cabeza, postura de la 24, 31
Caída
  cuña, 49-51
  derrapaje 66-69
  diagonal 79
  en nieve virgen 87
  giro en paralelo 82-83
  levantarse 40-41
  pasos laterales 42-43
  pies, postura de los 24
  temor a la 46
Caída controlada 38-39
Calcetines 16
Cambio de dirección 33, 44-47
Caminar 34
Cantos
  cambiando 55
  como frenos 48, 51, 76
Centro de gravedad 83
Cintas 17
Clases 70, 81
Clavar cantos
  derrapaje 67
  diagonal 79, 83
  giro en cuña 55
  pasos laterales 42
Clavar bastón 62, 64-65
Clima 90
Código del esquiador 90-91
Colas de los esquís 20
Color de ropa 17
Coma, posición de diagonal 60
Crema de protección solar 11, 16
Cuerpo, postura del 24, 31
Cuña 48-51, 78

D

Derrapaje 66-69
Deslizar 35
Diagonal 26, 60-61, 79

E

Ejercicio de bicicleta 27
Ejercicios de pre-esquí 27
Equilibrio 24
  en nieve virgen 86
  perfeccionamiento 84-85
Equipo
  bastones 21
  botas 18-19
  esquís 20-21
  fijaciones 22-23
  indumentaria 16-17
Escuelas 70, 81
Esquiar cuesta abajo 47
  giro en cuña 54-59
  obstáculos 46
  pendientes abruptas 84-85
  schuss 52-53
  temor a caer 46
  velocidad 88-89
Esquís
  acostumbrarse a los 32
  clavar cantos 26
  colocación 31
  elección 8, 20-21
  entrecruzamiento 72
  fijaciones 22-23
  transporte 30
Estaciones de esquí 12-13
Estado físico 27
Extensión
  sobre montículos y hondonadas 72-73

F

Fijaciones 11, 22-23
Forfait 12, 13
Frenado
  con cantos 48, 51, 76
  derrapaje 67
  en cuña 49, 78
  giro en cuña 55
  práctica del 76-77
Freno, pedales de 23
Frenos 30

G

Gafas de esquí 16, 17
Gafas de sol 15
Giro en cuña 54-59
Giros
  en cuña 54-59
  en paralelo 82-85
  estrella 44-45
  sorteando montículos 74-75
  y velocidad 88-89
Giros coordinados 62-65

Giros en paralelo 82-85
Gorros 17
Guantes 16, 17

L

Labios, protectores de 11, 16
Lectura de la pendiente 70-75
Levantarse 40-71
Línea de descenso
  cambio de dirección 46-47

M

Manos, caídas sobre las 38
Mapas 13, 91
Marcas para frenar 77
Mitones 17
Monos 17
Montículos y hondonadas 72-75
  observación de 46, 71
  sortear los 74-75
  visualización de 85
Músculos
  ejercicios de estiramiento 9, 27

N

Nieve
  polvo 86-87
  virgen 86-87
Nieve a la rodilla 87

O

Obstáculos 46, 70-71

P

Pasos laterales 25, 42-43
Pendientes
  abruptas 84-85
  afirmación 26
  cambio de dirección 46-47
  derrapaje 66-69
  diagonal 60-61
Pendientes para primerizos 12
Piernas, postura de las 24
Pistas
  dificultad de las 91
  mapas 13
  señales 91
Pistas cerradas 86
Primeros auxilios 91
Postura 24-25
  básica 31, 84
  cuña 78
  diagonal 60, 79
  schuss 52
  sobre montículos y hondonadas 72, 73
  y equilibrio 84
Puños, presión de los 79

R

Rayos ultravioletas 16
Remar 35
Rodillas
  postura 24
  giro en cuña 55
Ropa 16-17
  pantalones con tirantes 17
Ropa térmica 17

S

Schuss 52-53, 73
Seguridad 90-91
  lectura de la pendiente 70-75
Seguridad de los niños 70
Sentada 37
Señales de peligro 91
Sombras 71
Superficies planas
  cambio de dirección 44-45

T

Teléfonos de emergencia 91
Telesilla 12
Telesquí 14
Tenis 27
Traslado del peso 33, 77
  giros en paralelo 82-83
  giro en cuña 54-55, 58-59

V

Velocidad, disminución de la
  cuña, 48-51
Visualización
  diagonal 79
  en zonas de montículos 85
  y velocidad 89

AGRADECIMIENTOS

Konrad Bartelski y Robin Neillands desean agradecer a las siguientes personas e instituciones su inestimable colaboración en la realización de este libro:

A Colin M. Callaghan (Gerente) y Duncan R. Doak (Marketing) de SnowMec Leisure Environments, de Stafford Park, Telford, por el uso de las instalaciones de investigación y desarrollo de refrigeración de nieve.

A Katherine Foster por sus modelajes; a Katherine y el fotógrafo Matthew Ward y su ayudante Martin Breschinski, por resistir las duras condiciones climáticas durante las sesiones fotográficas.

A Lousie Milburn de Lillywhites de Picadilly Circus, Londres (GB), por el préstamo de la ropa y accesorios de esquí (pp. 16-17).

A Gary Smith de Watermead Slopes and Sails, Aylesbury, por facilitar el uso del arrastre (percha) de la p. 15.

A Brian Thomas de Briton Engineering Developments Ltd, Netherton, Huddersfield, por facilitar el telearrastre Doppelmayr de las pp. 14-15.

A Paul Bailey por las ilustraciones en color de las pp. 70-71,

A Janos Marfy por las ilustraciones de las pp. 19, 23, 90, 91, y

A Peter Cooling por las demás ilustraciones.

A Mark Shapiro (pp. 10-11, 82, 86), Stock Shot (pp. 2, 85 arriba, 89), Badger Sports (p. 87), Arthur Torr-Brown (pp. 12, 84, 85, 91) y Outdorrs Illustrated (p. 12 arriba) por las fotografías cedidas.